バルテール・マーリン

古典の真実

源氏物語は江戸時代に書かれた

まえがき

二〇〇四年六月、私は古代史の謎解きに取り組み始めた。続いて二〇〇八年の夏頃には古典誕生にまつわる真実の探求を開始した。私の古典探求は古代史探求に四年ほど遅れて始まった。その後、私は歴史の謎解きと古典の謎解きを並行して進めた。

誰もが知っているような世界的古典といえども、その成り立ちということになると、かなりあやふやな点が多い。これら世界的古典が、いつ、誰によって書かれたのか、われわれは本当のことを知っているのだろうか。そう考えて私は古典誕生過程の探求に着手した。

やがて月日は流れて二〇二二年一〇月、歴史の謎解きに関する第一作、『世界の真実』が世に出た。その間、二〇一〇年秋から二〇二〇年半ばまで丸一〇年もの間、執筆にブランクが生じた。なぜ一〇年ものブランクが生じたのか、その理由はいくつか思い当たるものの、詳しいところは思い出せない。

第一作刊行後、私は直ちに古典関係の著述を開始し、わずか五ヶ月で初稿を仕上げることができた。そこから、さらに二ヶ月間、加筆作業を行い本書は完成した。

本書は三部構成で、その第一部で日本古典を、第二部で西洋古典を取り扱う。第一部の中核をなすのが紫式部問題、第二部の中核をなすのがシェイクスピア問題である。読者は本書により東西二大文豪の正体を知ることになろう。第三部は江戸時代の古典と現代の関係を扱う。そこでは謎の浮世絵師、写楽の正体が明らかにされる。また、奥の細道や好色一代男の真の作者も明らかになる。

そもそも、われわれは紫式部、清少納言、芭蕉、マキャベリ、シェイクスピアといった超有名作家について、どれほどのことを知っているのだろうか。この本において私は彼らの実像に迫り、彼らにより書かれたとされる著作がほんとうは誰によって書かれたのかを明らかにした。

われわれは時折、「一〇〇年に一人の天才」という表現を眼にする。しかし、この地上に一〇〇年に一人のペースで出現する程度の才能を天才などと言えるだろうか。真に天才と言えるのは、この地球全体で五〇〇年に一人出現する才能のみである。

私は前著、『世界の真実』を執筆しているとき自分には、こと歴史的事実の分析能力については、この地上全体で五〇〇年に一人しか出現しない才能があるのかも知れないと考えた。もし、その直感が正しいとすると、私の前著、『世界の真実』は五〇〇年に一人の才能を持つ書き手がパワー全開で執筆した書物ということになる。

しかし、そうなると少々、困ったことになる。五〇〇年に一人の才能を持つ書き手が知恵を絞って完成した本など一般の読者はもとより第一線の研究者も容易には理解できない。現に、前著が出版されて半年が経過したにもかかわらずアカデミズム、ジャーナリズムともに何の反応も示さない。完全に黙殺されている。

けれども、数はあまり多くないものの読者から版元に宛てて「この本を書いたのは特異な才能の持ち主ではないのか」といった趣旨の問い合わせが断続的に届いているそうである。これは嬉しいことでもあるし、また心強いことでもある。

やはり、わかる人にはわかる。あの本は一定以上の知性と良心を持ち合わせた読者にアピールする力を秘めている。時間はかかるかも知れないが最終的には、あらゆる階層に、あの本の主張する内容が浸透して行くことであろう。この第二書、『古典の真実』についても同じことが言えると思う。

デビュー作、『世界の真実』は全世界の古代史・中世史を書き換えるという斬新な試みであった。読者としては、あまりに対象が広範すぎてフォローするのに困難を感じたことであろう。それに対して、この第二書は古典の成立過程という限定的な対象を扱う。したがって、読者としてはデビュー作に比べればフォローし易い。

この本では人間精神の到達点を示す古典的作品を重点的に採り上げた。そのような古典の成立過程と、その真の作者の実像に迫って行くことは著者にとって発見の喜びに満ちた経験であった。読者もまた、著者が経験したのと同じ感動を味わっていただければ幸いである。

古典の真実　源氏物語は江戸時代に書かれた◆目　次

第7章　レオナルド・ダ・ヴィンチ：その実体はガリレオ・ガリレイ……141

第8章　マキャベリの謎に迫る……161

◇凡例　漢数字「十」は使用せず「一〇」と表記する。
ただし固有名詞はその限りではない。

第1部

日本古典誕生の謎を解く

年表1　日本古典の歴史

西暦	出来事
934	紀貫之、土佐国司を離任
990	定子入内
993	清少納言、定子の後宮に出仕
995	藤原道隆死去
999	彰子入内
1003	和泉式部、敦道親王と交情
1008	紫式部日記の記事始まる
1011	一条帝譲位、崩御。三条帝即位
1020	菅原孝標女、上総から上京
1600	歴史の断層線［ここまでは伝承世界。ここから歴史世界］
1603	徳川家康、征夷大将軍、江戸幕府創設
1653	下河辺長流、三条西家に出仕 この頃、下河辺長流と契沖の交流が始まる
1666	下河辺長流、三条西家を辞する
1670	下河辺長流、林葉累塵集刊行。三条西家、源氏物語刊行
1686	下河辺長流、死去
1690	契沖、万葉代匠記完成
1696	契沖、蜻蛉日記を校訂
1735	中根東里、下野国植野村に移り、草庵を営む
1741	徳川宗将に徳子が嫁ぎ、紀州藩中屋敷にサロン形成
1752	本居宣長、京都に遊学。
1791	寛政の改革により山東京伝、手鎖50日に処せられる

図表１　光源氏の生涯（源氏物語年立）

帝	年齢	帖	出来事
桐壺	１	桐壺	光源氏、生まれる
	１２		元服。葵の上と結婚
	１７	夕顔	夕顔の女と交情
	１８	若紫	北山で紫の上を見初める。藤壺懐妊
	１９	紅葉賀	藤壺、男児（光源氏の子）を出産
	２０	花宴	朧月夜の君と交情
朱雀	２１	葵	空白①　桐壺帝、譲位。朱雀帝即位
	２２	葵	六条御息所と葵の上、車争い。葵の上死去
	２３	賢木	六条御息所、伊勢に下る
	２５	賢木	朧月夜の君とのスキャンダル発覚
	２６	須磨	須磨の浦に蟄居
	２７	明石	明石に移る。明石の君と結婚
	２８	澪標	帰京
冷泉	２９	澪標	朱雀帝譲位。冷泉帝即位。明石の君出産
	３２	薄雲	藤壺死去。冷泉帝、出生の秘密を知る
	３３	乙女	太政大臣となる
	３５	玉鬘	六条院造営。玉鬘、六条院に移る
	３９	藤裏葉	冷泉帝、六条院に行幸
	４０	若菜・上	年頭、四〇の賀。女三宮、六条院に降嫁
		若菜・下	空白②　四年間空白
今上	４６	若菜・下	冷泉帝退位。今上帝即位
	４７	若菜・下	柏木と女三宮、密通
	４８	柏木	女三宮、男児（薫）を出産。柏木死去
	５１	御法	紫の上死去
	５２	幻	出家を準備

の基本構造

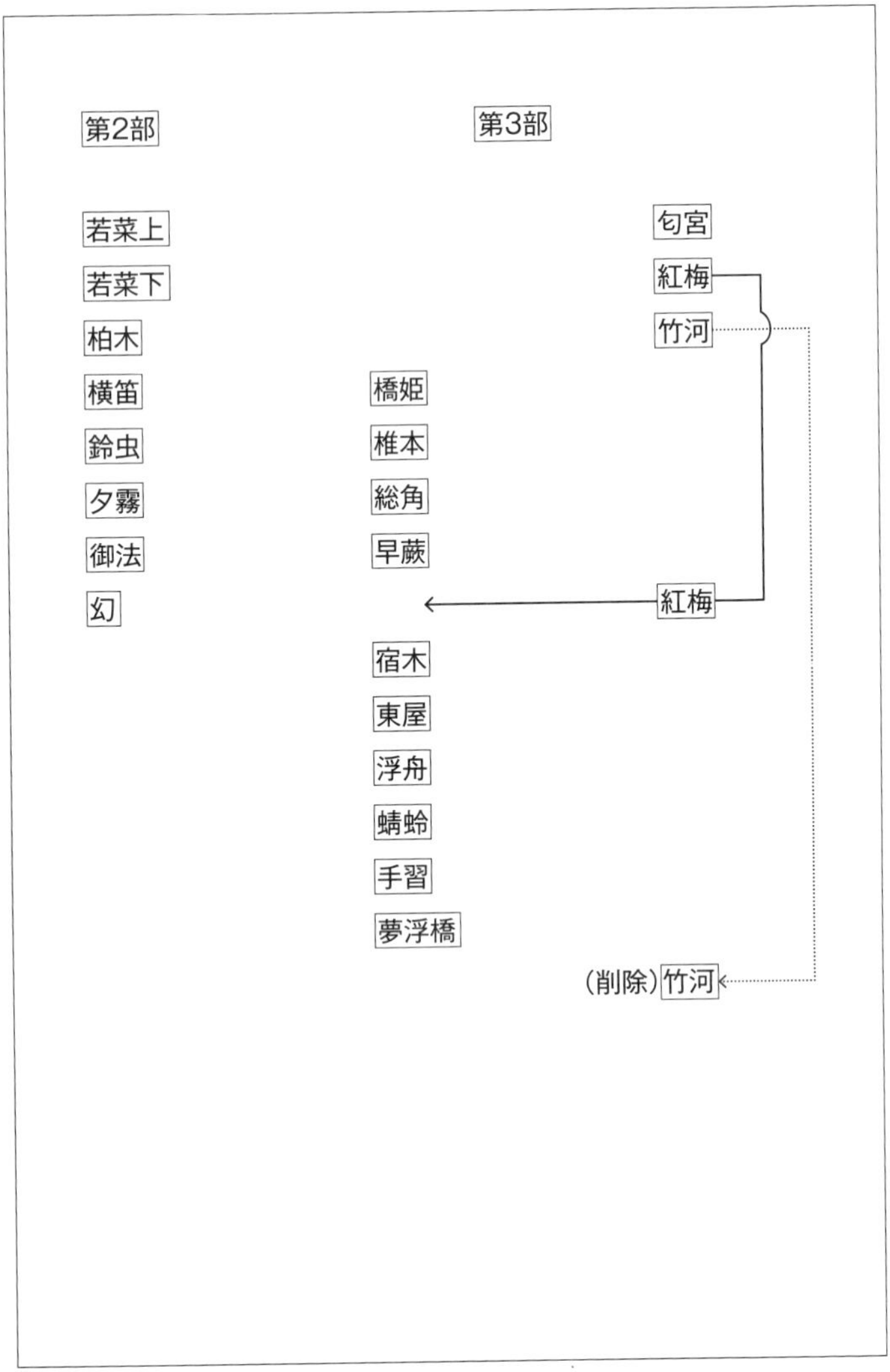
第2部
若菜上
若菜下
柏木
横笛
鈴虫
夕霧
御法
幻
第3部
匂宮
紅梅
竹河
橋姫
椎本
総角
早蕨
紅梅
宿木
東屋
浮舟
蜻蛉
手習
夢浮橋
(削除)竹河

図表2　源氏物語

第1部

紫上系	玉鬘系	紫上系	玉鬘系
		[左下から続く]	
桐壺		松風	
	帚木	薄雲	
	空蝉	朝顔	
	夕顔	乙女	
若紫			玉鬘
	末摘花		初音
紅葉賀			胡蝶
花宴			蛍
葵			常夏
賢木			篝火
花散里			野分
須磨			行幸
明石			藤袴
澪標			真木柱
	蓬生	梅枝	
	関屋	藤裏葉	
絵合			
	[右上に続く]		

図表３　源氏物語：架空王朝系図

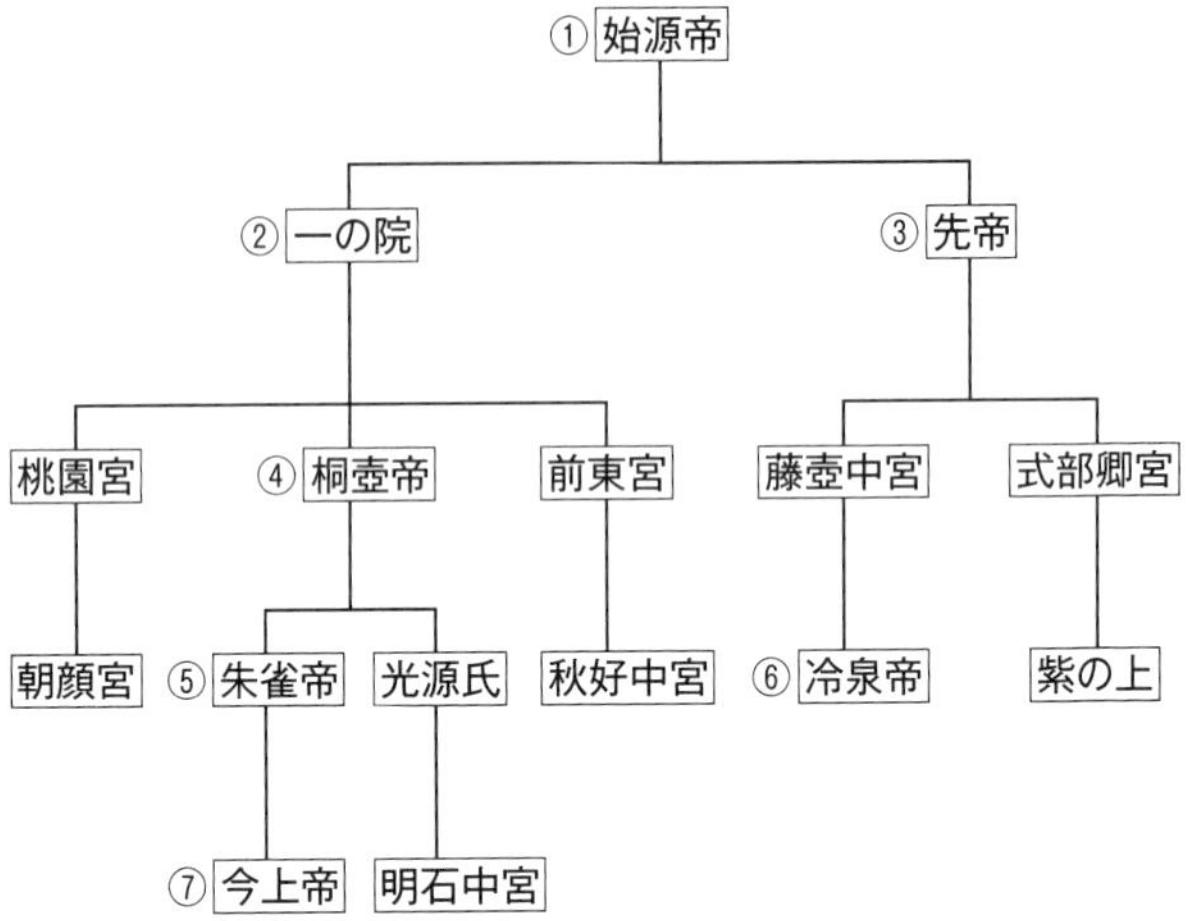

◇①から⑦までの数字は即位順序

◇冷泉帝は表向きは桐壺帝の子息であるが実父は光源氏なので藤壺中宮の子息として記入した。

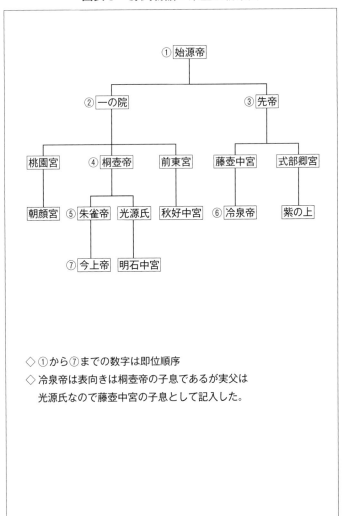

第1章　紫式部の謎に迫る

1. 源氏物語成立の謎：最初の作者候補

現在、流通している古典には、いつ誰によって書かれたのか不明確なものが多い。その代表例が源氏物語である。源氏物語の作者は紫式部ということになっている。しかし、もともと源氏物語の作者を仮に紫式部と呼ぶことにしていたにすぎない。源氏物語の作者は紫式部だと言ったところで、それは同義反復に等しい。源氏物語の作者について何も語っていない。

シェイクスピア問題、つまりシェイクスピアとは誰であったのかという難問は欧米の研究者の頭を悩ませると同時に、文学愛好者や歴史マニアを楽しませてきた。それに対して日本においては、これまで紫式部問題なるものが取りざたされることは滅多になかった。源氏物語の作者、紫式部の実像については暗中模索であるものの藤式部（とうしきぶ）、つまり藤原為時女（ためときのむすめ）が紫式部であることを疑う者は、ほとんど見当たらない。

けれども、この藤原為時女が源氏物語の成立にはなんら関与していなかったとなると、どうなるであろうか。源氏物語が、いつ、誰によって書かれたのか、根本から考え直さなければならないことになる。かくして、ここ日本でも源氏物語を創作した紫式部とは、いかなる人物であったのかという問題、つまり紫式部問題が発生する。

現在の通説によれば、一一世紀の初頭、一条朝の宮廷に仕えた女房、藤式部が源氏物語の作者、紫式部である。藤式部は藤原為時女が一条天皇の中宮、彰子に仕えたときの女房名で、この藤式部が変化して紫式部の名が生まれた。

しかし、そもそも藤式部あるいは紫式部が源氏物語の作者だなどとなぜわかるのだろう。一般には紫式部日記という宮廷日記が残っており、そこに藤原為時女が源氏物語を執筆したことを示唆する記事が記されていることを根拠とする。

しかし、この紫式部日記なるものには不審な点が多い。その内容全体に目を凝らすと、後世の創作という印象を強く受ける。もし、私が推理したように紫式部日記が後世の創作だとなると、藤原為時女が源氏物語の作者、紫式部であるという証拠は一つもないことになる。かくして議論は振り出しに戻る。源氏物語の真の作者は誰であるのか根本から探求をやり直さねばならない。

私は、先に刊行した『世界の真実』において世界各地の古代史の謎を解き明かすことに挑み、かなりの成果をあげることができた。私は、その一方で古典文学の成立過程を解明することにも情熱を注いだ。早くも二〇一〇年の一〇月の時点で、すでに源氏物語の作者、紫式部の正体を探り当てたという心証を得た。私は蜻蛉日記の作者、藤原道綱母（みちつなのはは）こそが源氏物語の作者、紫式部その人であると考えた。

実際、蜻蛉日記は、文章、構成ともに日本古典文学のなかでも傑出しており、しかも本来は日記文学であるものの後半になるにつれ、だんだん物語の色彩を帯びて来る。そうしたことを総合的に判断して、私は藤原道綱母が蜻蛉日記を書き上げてから、源氏物語の執筆に取り掛かったと考えた。

だが、この時点における私の推理は半分当たっていたものの、残りの半分は外れていた。蜻蛉日記の作者と源氏物語の作者が同一であるという推理は正しかった。しかし、実際の作者は思いもよらない人物であった。その真の作者と思われる人物がひらめいたのは二〇一二年三月一日のことであった。

　源氏物語の作者が誰であるのか探索を続けて行くと、新たに源氏物語の真の作者の候補者と思しき人物として貝原益軒（一六三〇～一七一四）の名が浮かんだ。なぜ益軒を候補者と考えたのか、その理由を説明する。

　源氏物語以外の日本古典にもほんとうは作者が判然としないものが多い。徒然草もその代表例で作者は吉田兼好ということになっているものの、それは単なる慣例でそうされているだけで、真実は闇の中である。そのような経緯で二〇一二年の春には徒然草の真の作者が誰なのか推理を巡らせていた。そうするうちに徒然草の作者は貝原益軒ではないかと思い至った。

　徒然草には薬草に関する記述が見られる。その第九六段はマムシに噛まれたときに「めなもみ」という薬草を採んで患部に張り付けると治癒すると述べる。そこで徒然草の作者の候補者として薬草の専門的知識を持つ人物を探って行くうちに貝原益軒の名が浮かんだ。従来は徒然草が書かれたのは一三〇〇年頃と考えられていたので、もしこの推理が正しいとすると執筆推定年代は四〇〇年も新しくなる。

この頃、私は平安時代や鎌倉時代に書かれたとされる古典は、ほんとうは江戸時代に書かれたという仮説を立てて、その作者を探索していた。徒然草の作者が貝原益軒であるという結論を得た時点で、この探求の基本方針は正しいという手ごたえを感じた。

さらに作者探しという冒険は続いた。その際、この作者探訪の最大のターゲットは、言うまでもなく源氏物語である。それまで江戸時代の文人の中で源氏物語の真の作者の候補者にふさわしい人物を探していたのであるが、なかなかぴったり条件が当てはまる人物を探し出すことができなかった。

しかし、この貝原益軒が徒然草の作者であるという結論に達した二〇一二年三月一日の夕方になって、さらに重大なアイディアがひらめいた。源氏物語の作者もまた貝原益軒にちがいないという考えが頭に浮かんだのである。

それは人類共通の文化的遺産ともいうべき源氏物語を生み出した真の天才作家の正体が掌握された瞬間であった。私はそれまで六年近くも源氏物語の真の作者を追い求めていたのであるが、なかなかそれにふさわしい人物にたどり着くことができず、ほとんどあきらめかかっていた。そうしたところに、ようやくこの人に間違いないという人物にたどり着いたのであった。

2. 源氏物語の作者：下河辺長流（しもこうべちょうりゅう）

このようにして源氏物語の真の作者にたどり着けた喜びに酔いしれているうちに八年もの歳月が流れ、二〇二〇年の秋を迎えた。前著で述べたように、このとき私は古事記の作者は山鹿素行（一六二二〜一六八五）であるという結論に達した。しかし、それとほとんど同時に、源氏物語の作者についても、それまで思いちがいをしていたのではないか、ということがひらめいた。

古事記の作者という問題についても、その候補者は本居宣長、契沖と移り変わり最終的に正しい答え、山鹿素行にたどり着いた。源氏物語の作者という問題についても類似した経過をたどる。

それまで私は源氏物語の作者は貝原益軒であるという考えにどっぷり浸っていた。ところが、真の作者は別にいるような気がしてきた。貝原益軒と同時代の人物に源氏物語の作者として、よりふさわしい人物が何人か思い浮かんだ。一人は契沖、もう一人は契沖の盟友であった下河辺長流（しもこうべちょうりゅう）、そして最後は当時の古典研究の中心地、三条西家の当主、三条西実教（さねのり）などがそれである。

最初は、これらの候補者のうちいちばん有力な候補者と思えたのは契沖であった。しかし、古典の研究能力と物語の創作力は別次元に属する。契沖は古典学者として優れていても物語の創作力があるとは限らない。

そこで一七世紀後半に活動した知識人の中から古典文学の素養があり、しかも創作力のある人物を探って行くと、ある一人の人物の名が思い浮かぶ。下河辺長流（一六二五～一六八六）の名がそれである。その人生の航跡をたどって行くと、この人物以上に源氏物語の作者の候補者としてふさわしい人物は見当たらない。

一六二五年、大和の国、現在の奈良県に生まれた下河辺長流は、一六五三年、京都の三条西家に出仕し、一六六六年に辞するまで一三年間も勤め続ける。この間、長流は同家に伝わる万葉集を筆写するなど、古典の研究に没頭する。これは古代を舞台とする物語の創作力を養うには最高の環境であろう。

長流は、まず手始めに蜻蛉日記の執筆に取りかかった。蜻蛉日記と源氏物語を読み比べると両者の著者は同一で、しかも前者が後者の習作の機能を果たしていることがわかる。蜻蛉日記の執筆が終盤に差しかかるにつれ筆者の作家としてのパワーが全開になりつつあることが感得できる。蜻蛉日記の執筆を終えた後、長流はいよいよ、源氏物語を書き始める。

このように、源氏物語の作者は下河辺長流であるというのが私が得た結論である。しかし、そうは言っても周囲からすれば単に状況証拠から推定しているにすぎないということになろう。けれども、長流が源氏物語の作者であることを示唆する一つの具体的証拠を挙げることができる。それは長流が編纂して一六七〇年に刊行した歌集『林葉累塵（りんようるいじん）集』の序文である。

この序文全体が、長流が散文においてもかなりの文章力の持ち主であることを示している。しかし、それだけではない。まず「春の日の藪し分かぬ惠には」という表現に注目する。これは源氏物語、早蕨（さわらび）帖の冒頭「藪しわかねば、春の光を見たまふにつけても、いかでかくながらへにける月日ならむ」を連想させる。

この二つの文章は、いずれも古今集八七〇番「日の光、藪しわかねば、いそのかみ古りにし里に花も咲きけり」を引き歌として活用している。この歌は「日の光は藪の内と外も分け隔てなく照らしてくれるので、この荒れ果てた里にも花は咲きました」という意になる。

二人の作者が同じ歌を引き歌にしているからと言って、その二人の人物が同一人物だと断定することはできない。しかし、このケースでは二つの文章全体の雰囲気がそっくりなのだ。これは下河辺長流が源氏物語の作者であることを証明する決定的な証拠と評せる。

源氏物語は全五四帖から成る一大長編である。全体を三部に再構成すると光源氏を主人公とする第一部と第二部を正編、光源氏の次の世代の貴公子を主人公とする第三部が続編ということになる。「図表1」には光源氏の一生を彩る主な出来事を図示しておいた。読者は、この「年立（としだて）」を通覧することにより源氏物語正編の流れを把握することができる。

源氏物語全五四帖のうち冒頭の桐壺から第三三帖藤裏葉までを第一部、第三四帖若菜（上）から第四一帖幻までを第二部、第四二帖匂宮（におうのみや）からラストの第五四帖夢浮橋までを第三部と呼ぶのが通例である（「図表2」参照）。

作者、下河辺長流は全五四帖を冒頭から順に書き進んだのではなかった。源氏物語を注意深く読んで行くと長流がどのような順序で書き進んで行ったのか、大体のところを推定できる。

稀代の名作、源氏物語は紅葉賀（もみじのが）から書き始められた。長流は、紅葉賀を最初に書き上げると、花宴、葵、賢木といった全体の根幹をなす諸帖を書き継ぎ、そのあとでサイドストーリーとなる諸帖を書き足した。紅葉賀の帖は現在では先頭から数えて七番目に配置されている。

全体の根幹を成す諸帖を紫上（むらさきのうえ）系、サイドストーリーを構成する諸帖を玉鬘（たまかづら）系と呼称することが多い。「図表2」を見ていただければ両者の関係が理解できる。この両系統は、その人物の出入り関係に注目して案出された。紫上系の諸帖には玉鬘系の諸帖の人物は登場しないのに対して、後に書き加えられた玉鬘系の諸帖には紫上系の人物が登場する。

しかし、人物の出入り関係を根拠に二つの系統に分けるこの着想には一つ落とし穴が潜んでいる。後に書き加えられた帖にたまたま玉鬘系の人物が登場しなかったということもあり得るからである。

全五四帖の先頭をなす桐壺や、光源氏と紫の上の出会いを紹介する若紫もまた後に書き足されたと私は考える。一般に紫上系とされている花散里の帖も後に書き加えられたという意味では玉鬘系に属すると考えるべきであろう。

これまでも源氏物語がどのような経緯で執筆されたのか検討されなかったわけではない。旧来のアカデミズムにおいても、いわゆる成立論という分野があって源氏物語がどのようにして書かれたのか議論がなされることがあった。それは単に執筆の順序を分析するにとどまることが多かった。しかし、ときにはそれが作者複数説に発展した（西村亨著・『知られざる源氏物語』二二一頁以下参照）。

第三部の冒頭にあたる匂宮、紅梅、竹河の三帖、いわゆる匂宮三帖は文体が不自然で内容も陳腐であるため、別の作者による偽作であると考える人が多い。また、それに続く橋姫から夢浮橋までの一〇帖、いわゆる宇治十帖についても、文体の違いを理由に作者は別人とする説が有力である。

歌人の与謝野晶子は、第二部以降が別の作者によって書かれたと考える。彼女は第一部のみが紫式部、つまり藤式部の作で第二部と第三部は、その娘の大弐三位（だいにのさんみ）の作であると推定する。

一方、第一部についても紫上系と呼ばれるメインストーリーに玉鬘（たまかずら）系と呼ばれるサイドストーリーが絡まる形で展開するという説が、いわゆる成立論の関連で有力に主張されていた。玉鬘系の諸帖が後に挿入されたと解する説は武田宗俊（一九〇二～一九八〇）の提唱による（同著『源氏物語の研究』参照）。

近年では、この玉鬘系後成説をさらに発展させ、二つの系統は別々の作者によって書かれたとする説も出現した。つまり、成立論の延長上に作者複数説が出現したことになる。

私自身、かなり長い間、この作者複数説を信じていて、何人かの人が分担して執筆したと考えていた。しかし、今では作者複数説は支持していない。源氏物語は一人の作者、下河辺長流によって書かれた。

しかし、全五四帖のすべて文章が真の作者、下河辺長流によって書かれたのか再考の余地があることは否定できない。この問題については、のちに「4」で検討する。

3. 源氏物語の舞台：美男美女の架空王朝

私は、この源氏物語の作者が下河辺長流であるという点については確信が持てる。したがって、源氏物語が書かれたのが一七世紀の後半頃であるという点についても、かなり自信を持っている。源氏物語の場合は具体的に作者が誰かということと同じくらい、一七世紀後半に書かれたということも重要である。

これまで奈良時代や平安時代に書かれたと信じられていた古事記や源氏物語が一七世紀後半に書かれたとなると、人々が思い描いていた古代や中世の世界に対するイメージが根本から覆されることになる。

源氏物語は日本はもちろん、世界中の国々を見渡しても比肩するものが見当たらないほどの傑作とも評される。実際に、その本文を原文で読んでみると、そのような評価も決して過大なものではないことがわかる。代表的な場面の数行を読み、その文章を頭の中で反芻するだけで、こちらも精神的に豊かになったような気分に浸れる。

この源氏物語は現実の天皇家とは別の架空の王朝の物語である。舞台となるのは人間とは思えないような美男美女が次から次へと生まれて来る不思議な王朝である。この王朝がいつから始まったのかは不明である。しかし、物語の主人公たちの共通の祖先として光源氏の三代前の帝（みかど）まで、さかのぼることはできる。

この光源氏の曾祖父にあたる帝を始源帝と呼ぶことにする。この王朝は始源帝の次の世代に、一の院と呼ばれる人物と先帝と呼ばれる人物の二つの系統に分かれ、その二つに分かれた王統の絡み合い中から光源氏という美男美女揃いの王家の中でも隔絶した容貌と知性を持つ人物が出現する。

この部の冒頭に、この架空王朝の系図を示しておいたので読者は、それを頭の中にしっかり刻んで欲しい（「図表3」参照）。源氏物語を読み始めたものの途中で挫折した経験のある人も多いと思う。なぜ途中で投げ出してしまうのかというと人物の相互関係が理解できず、そのため物語の筋を追うことができなくなり読むのを諦めるというのが典型的パターンである。

けれども「図表3」を参考に源氏物語の舞台となる架空王朝の全体像を把握すると読者の物語を理解する力は格段に高まる。かつて途中で投げ出した経験のある人も、きっと源氏物語を通読できるものと思う。

冒頭に示した架空王朝の系図では一の院は始源帝の次の帝（みかど）として即位したと解した。しかし、源氏物語そのものからは、この人物が帝として即位したか否かを判定することはできない。けれども、帝として即位したと仮定したほうが物語としてはすっきりするので、そのように解した。

一の院から、その弟である先帝に移った皇位は先帝の甥にあたる桐壺帝に移る。その後、皇位は桐壺帝の直系の子孫により受け継がれる。冷泉帝は表向きは桐壺帝の子息であるが実父は光源氏であるので「図表3」には藤壺中宮の子息として記入した。朱雀帝から冷泉帝への譲位はあくまで兄から弟への譲位である。

主人公、光源氏は二つの系統のうち一の院の系統に属する。それに対し光源氏にとって最愛の二人の女性、藤壺中宮と紫の上は先帝の系統に属する。このあたりのところはなかなか面白いところで、作者の洗練された構想力を感じる。

この「図表3」を頭に入れるだけで主な登場人物の相互関係が理解できる。しかし、この系図に書き込まれていない重要人物が何人かいるので、その人々について説明しなければならない。まず最も重要な六条御息所（ろくじょうのみやすんどころ）から始める。

この六条御息所は前東宮（さきのとうぐう）に嫁し娘を生む。この娘は後に冷泉帝に嫁ぎ秋好（あきこのむ）中宮と呼ばれることになる。したがって相当の身分の女性と推定されるのであるが出自は不明である。

六条御息所は前東宮に先立たれ未亡人となった後、光源氏の愛人となる。ところが、そこで事件が起きる。嫉妬にかられた六条御息所が生霊となって光源氏の最初の正妻、葵の上（あおいのうえ）に執りつき死をもたらす。

この葵の上は左大臣の娘で光源氏の親友、頭中将（とうのちゅうじょう）とは姉と弟という関係にある。母親は一の院の娘であるから頭中将や葵の上は光源氏とは、いとこ同士ということになる。この左大臣家ともう一つの大臣家である右大臣家が王朝を構成する人々に血縁を通じて関与することになる。一方の右大臣家は一種の悪役と想定されている。

人間とは思えないような美男美女が織りなす架空王朝の物語、源氏物語は以上のような基本構図の下に進行する。主役は始源帝の子孫にあたる人々で、そこに左大臣家の人々などが脇役として加わる。

4．源氏物語を襲った悲劇：三条西家における加筆

源氏物語の正編（第一部と第二部）は光源氏という並外れた人物の誕生から晩年までを描いた一代記である（「図表1」参照）。それに対し、第三部は続編ということになり光源氏の子孫たちとその相手方の女性たちの生態が描かれる。

しかし、この正編と続編の関係がやや込み入った問題を提供する。さきほど「2」で述べたように正編と続編を連結する匂宮三帖は、その文章の粗雑さと内容の陳腐さで目立つ。

とりわけ竹河については、とかく偽作が混入していることを認めたがらないアカデミズム系の研究者の間でも、この帖は偽作とする説が有力である。この匂宮三帖が真

の作者の作であるとしたら、なぜこのような平板な三帖が書き加えられたのか、何らかの説明が必要であろう。

この匂宮三帖が宇治十帖を本編にあたる第1部・第2部に結合するために書かれたものであることは争いがない。問題は、むしろ、この宇治十帖の成り立ちである。それは、もともとは源氏物語の続編ではなく、それとは独立した別の物語、あるいは源氏物語の本篇と並行して進行する物語であったのではないだろうか。

この点については、この宇治十帖がもともとは若き日の光源氏を主人公とする物語であったと解すると、すんなり理解できる。宇治十帖の二人の主人公、匂宮と薫大将をおのおの光源氏と頭中将に置き換えると、源氏物語本編の開始後間もないころにぴったり収まる。

花宴と葵の間には一年八ヶ月ほどの空白が存する。宇治十帖はもともとは、この空白を埋めるために書かれた。しかし、長くなりすぎて、そこに収まらなくなり独立した別の物語とされた。このように推理するのは、なかなか興味深い試みである。

この宇治十帖は、宇治物語と名付けることができよう。ただし、宇治物語は源氏物語とは別の物語といっても主人公は共通であるから、それは源氏物語のいわゆる並びの巻とも言える。本来の作者、下河辺長流は当初、宇治十帖を源氏物語と主人公を共通にしながら、それと並行して進行する独立した別の物語として書き上げた。

匂宮三帖の成り立ちを解明するにあたり最も本質的な問題は、これらが作者自身により書き加えられたのか、それとも作者以外の人物により書き加えられたのかという点に存する。この点について私はまず、作者以外の第三者が加筆したと考えた。

本来の作者とは別の人物が宇治十帖に手を加え源氏物語に続く物語に書き換え、さらに匂宮三帖を書き加えることにより両者を完全に結合させた。以上のように推理すると匂宮三帖という異様な印象を受ける三帖の存在を説明できる。

その際、契沖の名が加筆者候補として思い浮かぶ。実際、作者以外の人物が加筆したとなると、加筆したのは契沖ということになろう。契沖は長流の万葉集研究を引き継ぎ万葉代匠記を完成させた。このことを考え合わせれば、加筆した人物が契沖である可能性は高いように思える。

万葉代匠記とは一風、変わった書名である。この書名は契沖が、自分は師匠である下河辺長流に代わって仕上げたという意味で決めた。このあたりの所にも契沖という人の謙虚で篤実な人柄が現れている。

また、契沖は蜻蛉日記の本文を校訂し現在、知られている形にして出版に備えた。長流が死去するにあたって、長年、交流があり全面的に信頼していた契沖に蜻蛉日記の原稿を託し、いつか刊行することを遺言で依頼したのであろう。

この頃、契沖は五〇代の終りで、一七〇一年が明けて間もなく、満六〇歳、数え六二歳で世を去る。しかし、この時点では蜻蛉日記の刊行は実現していない。契沖としては畏友、下河辺長流の遺志を継ぎ、蜻蛉日記の刊行を果たしてから生涯を終えたかったことであろう。蜻蛉日記は一八世紀半ばに刊行された。契沖の死後、半世紀が経過していた。

このように契沖は蜻蛉日記を校訂し、その出版を準備した。そうすると源氏物語についても契沖による校訂を経て刊行されたと考えたくなる。その際、契沖は単なる校訂作業を行っただけではなく、源氏物語全般にわたり大幅に加筆した。とりわけ仏教的な無常感が漂う帖は丸ごと契沖が書き加えた。いわゆる匂宮三帖もその際、書き加えられた。このように、私は考えた。

しかし、以上のように推理してみたものの、間もなく疑念が生じた。契沖は高度な学識の持ち主である。それに諸般の記録を総合すると、かなり律儀な性格の人物であったようである。このような高度な学識を持ち、律儀な性格の人物が、気楽に粗雑な帖を書き加えるなどということがあるのだろうか。

契沖が匂宮三帖を書き加えたという推理は成り立たないように思えてきた。そこで、次に私は加筆をしたのは本来の作者、下河辺長流自身であるという仮説を立てた。本来の著者である下河辺長流が晩年になって創作力が低下してから質の劣る文章を書き加えた。あるいは単に才能が枯渇したに留まらず脳に病変が生じ知能そのものが低下して劣悪な文章しか書けなくなったということもあり得る。

これらの点については確かめようがない。しかし、その可能性はあると思う。源氏物語の真の作者、下河辺長流は一六八六年、満六一歳で世を去る。当時としては天寿を全うした年齢であった。

長流は晩年の数年間、病気がちであった。水戸藩から万葉集の注釈について依頼を受けたのは、もともとは長流である。しかし、病気により注釈作業を完成できなくなったので契沖に引き継がれた。

引継ぎの原因となった病気とは、おそらく脳卒中であったと推定される。死の数年前に一度、脳卒中の発作を起こし二度目の発作で世を去った。このあたりの経緯は福沢諭吉（一八三四〜一九〇一）の晩年とその最期を連想させる。長流は一度目の発作からは生還したものの、おそらく知力の低下を招いた。

晩年の長流は最後の力を振り絞って源氏物語の最終稿を完成した。しかし、晩年の長流は脳卒中の後遺症で知力が低下し往年の筆の冴えは見る影もなかった。最後の数年間に加筆したと推定される部分は読むに堪えないものが多い。

長流自身が加筆したという仮説を立て、その動静を推理すると以上のようになる。以下では視点を換えて、この推理が正しいのか検証する。

加筆された部分で最も目立つのが末摘花の容貌の描写である。この末摘花の帖では末摘花は愚鈍な醜女として描かれる。ところが、同じ末摘花という人物が蓬生の帖では可憐な乙女として描写されている。蓬生の帖と末摘花の帖とで同一人物のイメージが全く異なる。

いやしくも、この王朝の一員である妙齢の女性を愚鈍な醜女に仕立て上げ、しかもその様子を滑稽に描き嘲笑するなどということが、この物語本来の作者の美意識が許すものなのだろうか。これは、どう考えても不自然である。他にも源内侍（げんのないし）という好色な老女房が登場し滑稽な場面を演じるところなども後に第三者が加筆したような印象を受ける。

いくら晩年に知力が衰えたとしても本来の作者である下河辺長流が、このような拙劣な部分を加筆したとは考えられない。やはり、これは本来の作者以外の偽作者が恣意的に加筆したと推理するのが妥当である。

一六六六年、長流は満四一歳で三条西家を辞した。この時点に焦点を当てて考えると全ての謎は解ける。満四一歳といえば当時としては壮年期を過ぎて初老の時期を迎える年齢である。この時、長流は源氏物語の執筆を終えていた。

致仕するにあたり長流は源氏物語の手稿を三条西家に委ねた。委ねた手稿には後に宇治十帖の土台となる宇治物語の手稿も含まれていた。長流は単に手稿の保管を依頼したのではなく刊行も依頼した。三条西家は報酬を支払い労に報いた。それと同時に責任を持って刊行することを約した。

しかし、ここから悲劇が始まる。三条西家の内部において手稿の加筆作業が開始された。匂宮三帖を書き加え宇治十帖を本篇に結合させたのも三条西家の関係者であることは、もはや動かしがたい。この匂宮三帖の問題を完全に解決するには武田宗俊の一連の研究が参考になる（同著『源氏物語の研究』一〇二頁以下参照）。

武田説によると一般に匂宮三帖とまとめて扱われている匂宮、紅梅、竹河の三帖は本来は互いに関連性を持つものではなく一括りにされるべきものではない。まず、紅梅については本来、それは早蕨と宿木の間に位置する。紅梅の帖を早蕨と宿木の間に移動させると官位の混乱などの問題は直ちに解決する。

竹河については全体の最末位、夢浮橋の後に置かれる。ただし、武田氏は竹河は拙劣な偽作であるから削除すべきであると主張する。この点に関しては私も同感である。率直に言って竹河の帖は、とうてい、まともに読むに堪えない。これが、あの稀代の天才作家の筆による作であるなどとは信じがたい。

右のような事情を斟酌するならば竹河は迷わず削除するべきである。源氏物語全体の末尾にあたる夢浮橋の後にこのような蛇足としか言いようのない帖を付加しては物語全体の余韻が台無しになる。

竹河を書き入れたのが誰なのか具体的な人物の名を挙げることもできる。当時、三条西家の当主であった三条西実教（一六一九～一七〇二）である。この実教（さねのり）という人物には、とかく悪評が付きまとう。宮中で幾度も騒動を引き起こしたことが記録に残っている。そのような人物が源氏物語の最末尾に書き入れを行ったのである。

源氏物語と宇治物語という二つの物語を結合するのに必要な匂宮の帖のみならず、他のあちらこちらに加筆がなされた。その際、加筆を行った三条西家の関係者にも筆力の差が見られる。本来の作者である下河辺長流には及ばないものの一応、読むに堪える文章を書ける人から実教のように文才の欠片もないような人まで色々であった。

源氏物語に悲劇が起きていた。手稿が託された三条西家において物語全体の興趣を減少させるような拙劣な書き入れがなされた。

5. 源氏物語の刊行：万葉集の編纂

源氏物語が世に出た経緯については正確なところは不明である。しかし、大体の刊行年は推定できる。それは一六七〇年か、その数年後である。下河辺長流は三条西家を辞するに際し源氏物語の手稿を同家に託した。

その後、一六七〇年頃に源氏物語は三条西家の監修の下に刊行される。源氏物語を現在、われわれが見ているような全五四帖にまとめたのも三条西家の関係者であろう。一六八六年、下河辺長流は源氏物語の刊行を見届けてから世を去る。

当時の書物の刊行は整版形式によることが多かった。職人が板の上に文字を左右、逆にして掘り込み墨を塗って印刷する。したがって膨大な手間がかかりコストも現在の書籍出版などとは比較にならない。大体、蜻蛉日記くらいの分量の書物でも現在の金額に換算して最低でも五〇〇〇万円は必要であった。

そうなると源氏物語くらいの分量の書物になると三〇〇〇万円以上かかったと推定される。これでは一個人ではなかなか出版できない。必然的に有力者の中にパトロンを求めることになる。

源氏物語のような大著を刊行するには膨大な資金が必要で、公家か大名か豪商の資金援助なしには刊行できない。そこで長流は三条西家に援助を申し入れ、同家は了承した。刊行資金の援助を求める以上、手稿は手渡さねばならない。長年、心血を注いだ手稿がすんなり引き渡された背景には、このような事情が隠れていた。

版元がどこかは不明であるものの、一六七〇年か、その数年後には源氏物語は無事、出版された。全人類の遺産ともいうべき源氏物語の手稿が散逸もせず刊本の形で世に出たのは幸いであった。源氏物語全五四帖は書写により広まったのではなく、初めから刊行物として世に出た。

一六八六年、長流は源氏物語の刊行を見届けてから世を去った。しかし、彼が心血を注いだ源氏物語に第三者の手で劣悪な加筆を重ねられたのを目撃した。これは長流自身、複雑な心境であったことであろう。現代人のわれわれとしても全盛期の長流が仕上げをしていれば、どのような出来栄えになっていたかと悔やまれる。

刊本と写本の関係については誤解されている。普通、同一の作品について刊本と写本の両方があれば、写本が先行し版元が多くの写本の中から善本を選び刊行すると考えがちである。しかし、実際には刊本の方が先に世に出て、それに基づき写本が造られることの方がはるかに多い。源氏物語についても同様である。

一六七〇頃に源氏物語は刊行された。しかし、一八世紀に入ってから一般に普及する。源氏物語の普及に最大の貢献をしたのは注釈書、源氏物語湖月抄である。

湖月抄には源氏物語の本文全文が掲載され、そこに頭注と傍注が付された。また、年立と系図を備えており、この書物だけで源氏物語の全体像をつかめるように工夫されていた。しかし、この湖月抄が源氏物語の普及に貢献したのは、その本文そのものである。江戸時代はもとより明治時代に入っても湖月抄の本文で源氏物語を読むのが一般であった。

湖月抄は北村季吟（一六二五〜一七〇五）が編纂した。湖月抄が最初に刊行されたのは一六七五年とされる。しかし、実際には刊行されたのは、もう少し遅れて一七〇〇年頃である。この場合、年代に関しては季吟の作と解するのに支障はない。けれども、全体が季吟の著作である可能性は低い。季吟が主要部を執筆し、残りは門人たちが何人かで分担執筆し季吟の名で刊行したというのが真相であろう。

蜻蛉日記の方は源氏物語より普及が遅れた。蜻蛉日記は元禄一〇年（一六九〇年）と宝暦六年（一七五六年）に連続して刊行されたとされている。しかし、元禄一〇年という刊行年は信頼性が乏しい。最初に刊行されたのは宝暦六年（一七五六年）であろう。蜻蛉日記はこの頃から一般にも読まれ始める。しかし、内容が地味であったため源氏物語ほどは人気が出なかった。

長流は三条西家を辞するに際し蜻蛉日記の手稿は同家に手渡さず自ら保管することにした。長流の死後、手稿は契沖の手に渡る。契沖は長流から託された最終稿を書写すると同時に校訂を加えた。以後、蜻蛉日記の写本は契沖の校訂を受ける前のものと、校訂を受けた後のものに分かれる。この校訂作業が終了したのは一六九六年で、その契沖による自筆書き入れ本は水戸藩の彰考館に保管された。

一般に下河辺長流は万葉集の注釈に専心したとされている。「2」で述べたように一六五三年、長流は京都の西三条家に出仕し、そこで万葉集の書写に没頭した。長流は武家の出であるから邸内の警備も受け持ったことであろう。しかし、それ以外の時は古典の研究に専念した。三條西家といえば古典学と歌学を重んじる家柄として名高い。そのような環境で長流は古典の素養を磨くことができた。

長流は一六六六年には三條西家を辞した。その後は水戸藩から受ける禄で生計を立てたのだろうか。あるいは三条西家から既に十分な俸禄を受けていたのかも知れない。三条西家を辞した後、長流は、万葉集編纂事業から離れ自らが主宰する歌集の編纂に没頭する。その結果、一六七〇年に林葉塁塵集が完成し、刊行される。

長流の半生は以上のように描ける。しかし、そこには一つ盲点があった。長流が三条西家に出仕した時点では万葉集などまだ存在しなかった。長流は万葉集を書写したのではない。長流が万葉集を編纂したのである。

その際、長流は三条西家に蓄積されていた古歌関連の資料を縦横に利用することができた。また、三条西家の人々あるいは同家に勤務する同僚たちが長流の編纂作業を手助けした。その意味で万葉集の編纂は三条西家が総力を挙げた大事業であった。

長流が一六六六年に三条西家を辞した時には万葉集編纂の主な作業は終えていた。その後、編纂事業は三条西家に引き継がれる。編纂が終了した時期も大体、推定できる。万葉集には古事記の記述が引用されているので万葉集は古事記の後に成立した。

古事記は日本書紀の記事を土台に書かれているので成立順序は日本書紀、古事記、万葉集という順序になる。

前著、『世界の真実』で述べたように一六七〇年頃に日本書紀が成立した。古事記を執筆したのは山鹿素行である。彼は一六七五年頃に日本書紀を参考に古事記を書き上げた。三条西家が万葉集の編纂を終え刊行準備を整えたのは一六八〇年頃であろう。

一六八〇年という万葉集の推定成立年代は、その最終稿完成年代で、大部分は一六六六年には完成していた。結局、万葉集は三条西家という公家を代表する名家の援助により成立した。一方、契沖が万葉集の注釈書、万葉代匠記を完成するにあたっては水戸藩が援助した。しかし、なぜか、これは刊行に至らなかった。水戸藩が刊行資金を出し渋ったのだろうか。

一六七〇年頃に日本書紀、一六七五年頃に古事記、一六八〇年頃に万葉集と、わずか一〇年ほどの間に日本古典史上に一時期を画する重要古典が三つ連続して完成した。源氏物語を含めれば四つ連続して完成したことになる。

下河辺長流は万葉集の単なる注釈者ではなく編纂者であった。長流以前に万葉集など存在しない。長流は蜻蛉日記と源氏物語を創作する一方で万葉集を編纂し日本古典の成立に比類のない貢献をした。

万葉集に収録された四五〇〇を超える歌の一つ一つは誰が創作したのか確定することはできない。おそらく、それは過去一〇〇年間に創られた歌を集積することにより完成した。しかし、万葉集全二〇巻、四五〇〇首の最後を飾る著名な歌は長流の作である可能性が高い。

「新しき年の始めの初春の今日降る雪のいや重（し）け吉事（よごと）」という歌は大伴家持の作とされている。しかし、これは長流の作であろう。この歌は万葉集の編纂者が全体の締めくくりとして作った歌である。そうすると万葉集の主たる編纂者は長流であるから、この歌の作者も長流ということになる。

第2章　ゆらぐ平安文学：それは江戸時代に書かれた

1. 伊勢物語の作者：戸田茂睡（もすい）

いわゆる平安女流文学の中でも最高水準を誇る蜻蛉日記と源氏物語の二作は同一人物、下河辺長流の作であることが前章で明らかになった。その一方、膨大な作品群が作者不明なまま残されている。

まだ作者が特定できない主な作品を推定成立順に並べると伊勢物語、土佐日記、枕草子、和泉式部日記、更級日記、大鏡の順になる。枕草子については別に章を設けて後に検討する。この章では、まず、伊勢物語から始める。

この伊勢物語は九世紀に実在したとされる歌人、在原業平（ありわらのなりひら）を主人公とする歌物語である。それは「むかし、男、うひかうぶり（初冠）して」から始まり、「つひにゆく道とはかねて聞きしかどきのふ今日とは思はざりしを」という有名な辞世の句で終わる全一二五段の比較的短い一代記を構成する。

しかし、その成立事情は不明で、いつ、誰が書いたのかという問題については争いが続いている。けれども、私は、この問題についても短期間で解答を得ることができた。平安女流文学などという幻想から離れ江戸時代にその作者を求めたところ、その有力候補者を見つけることができた。雨月物語の作者として知られる上田秋成（一七三四～一八〇九）である。

伊勢物語第六段が、この推理に有力な証拠を提供する。ある男が身分に不相応なほどの高貴な女性をうまく連れ出して地方に落ち延びる。しかし、雷の鳴る不気味な夜、小屋に匿っていた女性を鬼に食われてしまう。このサスペンスに富んだ怪異譚は、まさしく上田秋成の雨月物語の世界である。私は、この段を読んだとき伊勢物語の作者は上田秋成にちがいないという心証を得た。

これまで一〇世紀に成立したと考えられていた伊勢物語は実際には、それより八〇〇年も遅れて一八世紀後半に書かれていた。そして成立間もない伊勢物語は群書類従に加えられる。群書類従は一七八六年から一八一九年にかけて刊行された。したがって伊勢物語も、この時期までには成立していなければならない。伊勢物語の作者を上田秋成と推理する説は、このタイムリミットをクリアーする。

ところが、この解答を得て安堵したのも束の間、私は困った事態に直面した。本居宣長の伝記を調べていたところ彼が京都留学中に伊勢物語の注釈書を読んでいたことが判明した（田中康二著・『本居宣長』三四頁）。宣長が京都に留学したのは二〇代の頃で、西暦で言うと一七五〇年代にあたる。

宣長が読んでいた伊勢物語の注釈書とは契沖の勢語憶断（せいごおくだん）である。この注釈書は一六九二年頃までに書かれ一八〇二年に刊行されたとされている。したがって宣長は、この本を刊本ではなく写本で読んでいたことになる。

上田秋成は宣長より四歳年下で、この時点では二〇歳になるかならないかの歳である。この年齢では伊勢物語のような含蓄の深い傑作を書くのは無理である。さらに注釈書、勢語憶断の成立年代が真実であるとするならば伊勢物語の作者を上田秋成と推理する説は完全に破綻する。

そこで私は振り出しに戻り伊勢物語の作者探しを一からやり直すことにした。伊勢物語は一見するとあっさり書かれているように見えるが、その文章表現、全体の構成ともに非常に巧みなもので一流の資質の持ち主でなくては書き得ない。

そこで私は伊勢物語の作者の候補者として賀茂真淵（一六九七〜一七六九）に着目した。真淵なら時期的に伊勢物語の作者であり得る。宣長が伊勢物語の注釈書、勢語憶断を読んだのは一七五二年であるから一七四〇年頃までに真淵が伊勢物語を執筆したと考えれば時期的には計算が合う。

注釈書、勢語憶断の著者は契沖ではなく、その後の世代の人物ということになる。あるいは勢語憶断の著者も賀茂真淵かも知れない。つまり、真淵は伊勢物語を書き、さらに自分で自分の作品の注釈書を執筆したことになる。

しかし、どうもしっくり来ない。伊勢物語全体に漂う典雅な気風と万葉調を重んじる真淵の荘重な学風が合わないような印象を受ける。そこで真淵より上の世代に候補者を探すと伊勢物語の作者の候補者としてぴったりな人物が見つかった。江戸時代前期の歌人、和学者の戸田茂睡（もすい）である。

戸田茂睡（一六二九〜一七〇六）は下河辺長流や契沖と並んで国学勃興の土台を造った。代表的著作としては江戸の地誌を漫談風に紹介した『紫の一本（ひともと）』が挙げられる。伊勢物語も主人公が各地を巡歴して様々な出来事に遭遇するという構成になっており『紫の一本』の構成を連想させる。

一二世紀初頭に源俊頼によって書かれたとされていた歌論書、俊頼髄脳（としよりずいのう）もまた戸田茂睡によって書かれたと一時期、私は推理していた。俊頼髄脳は和歌が新しく進むべき道を示すとともに従来の歌人にまつわるエピソードを説話風に述べたもので歌論史上画期的なものと評されている。

俊頼髄脳は「やまと御言（みこと）の歌は、わが秋津洲（あきつしま）の国のたはぶれあそびなれば」という一文から始まる。この文などはどこから読んでも江戸時代の国学者が書いた文章である。しかし、再考すると俊頼髄脳は茂睡より一〇〇年後の人、小沢盧庵（ろあん）の作である可能性が高いと思われた。

小沢盧庵（一七二三〜一八〇一）は国学者にして歌人で、歌人としては江戸時代の四大歌人に数えられる。盧庵は歌論にも一家言を持ち、俊頼髄脳は盧庵が自分を破門した冷泉家に対して反論するために書かれた。

源氏物語に続いて伊勢物語の作者が判明したことの意義は大きい。後世に対する影響力の強さでは伊勢物語は源氏物語に並ぶ。伊勢物語の作者が江戸時代初期の和学者、戸田茂睡であったということも興味深い。

戸田茂睡は竹取物語の作者でもあったと推定される。文体、構成ともに竹取物語と伊勢物語には共通性が見られる。伊勢物語の作者が茂睡であったとすると竹取物語の作者も茂睡である可能性が高まる。しかし、そうなると竹取物語と源氏物語の前後関係が問題になる。

源氏物語の絵合の帖には「物語の出来（いでき）の祖（おや）」として「竹取の翁」が紹介されている。また、絵合の帖には伊勢物語の名も見える。したがって、下河辺長流が源氏物語を執筆した時には、彼はすでに竹取物語と伊勢物語を知っていたことになる。

生没年を比較するとわかるように下河辺長流（一六二五～一六八一）と戸田茂睡（一六二九～一七〇六）は同時代人である。長流が四歳年少である茂睡の作品を知ったのは、その生涯の半ば頃であろう。

源氏物語の絵合の帖を読むと宮廷人が二手に分かれて絵の出来栄えを競い合う場面

は後に加筆されたことがわかる。長流は生涯の半ばすぎになって絵合わせの場面を書き加えた。

国学の盛期の代表的学者四人、荷田春満（かだのあずままろ）、賀茂真淵、本居宣長、平田篤胤を「国学の四大人（しうし）」と呼ぶ。それに対し国学が勃興する土台を造った三大学者、下河辺長流、戸田茂睡、契沖を「国学勃興期の三大人（さんうし）」と呼ぶこともできよう。

国学勃興期の三大学者のうち二人は古典史上に残る傑作を創作していた。下河辺長流は蜻蛉日記と源氏物語を、戸田茂睡は竹取物語と伊勢物語を書き遺した。契沖は校訂作業のみを行い自ら主体的に創作することはなかった。

2. 土佐日記の作者：鵜殿余野子（うどのよのこ）

九三四年末、紀貫之は土佐守の任期を終え海路、京へ向かう。貫之が帰京したのは翌年二月である。土佐日記は紀貫之によって書かれ、その貫之自筆本から直接、藤原定家が書写したとされる写本が現代まで伝えられている。藤原定家は一三世紀に実在したとされる文人貴族であるが、実際は伝承上の人物にすぎない。

いわゆる定家本なるものは一八世紀に書写された。現在、定家本と称される写本の多くを書写したのは加藤千蔭（ちかげ）であろう。この加藤千蔭（一七三五～一八〇八）という国学者は、和歌を詠み、さらに書にも優れ千蔭流という書法を確立した。定家本の書法と千蔭流の書法には近縁性が認められる。

この土佐日記と伊勢物語を読み比べると、ある種の近縁性を感じる。この二つの書物は一方は日記と、もう一方は物語と銘打ってあるものの、どちらも実質的には小説である。文体そのものは似ていないが、全体の小説的構成が近いように思えた。

また、両者には内容の面でも関連性が認められる。土佐日記の終盤、淀川をさかのぼり山崎の水瀬宮にさしかかったところで、昔、在原業平が惟喬（これたか）親王の供をしてこの地にさしかかり桜を愛でて詠んだ歌が紹介されている。これは伊勢物語八三段の内容と重なる。

私には、一時期、この二つの作品は同一人物の作であるように思えた。そうすると伊勢物語の作者は戸田茂睡であるから土佐日記の作者も戸田茂睡ということになる。

けれども、この二つの作品の文体の差は歴然としている。内容に一部、重複が見られるからといって両者を同一人物の作と解することには無理があるように思えた。土佐日記の作者は戸田茂睡ではない。

そこで土佐日記についても推理を初めからやり直す必要が生じた。最初に私は国学者、賀茂真淵（一六九七〜一七六九）に注目した。万葉調の「ますらおぶり」を称揚する真淵なら、きびきびした文体の土佐日記を書いていたとしても不思議ではない。

しかし、具体的証拠はなかなか見つからず私は焦燥感に見舞われた。けれども、突破口は、やはり真淵の周辺で発見された。真淵の女性弟子、県門の三才女の一人が土佐日記の作者として浮上した。

この三才女の一人とは鵜殿余野子（うどのよのこ）である。鵜殿余野子（一七二八頃〜一七八八）は現在の紀尾井町にあった紀州徳川家の中屋敷で紀州藩主とその正室に歌人として仕えた。

一八世紀の半ば頃、紀州徳川家の中屋敷に一種のサロンが形成されていた。一七四一年、後に紀州藩主となる徳川宗将（むねのぶ）の下に京都の公家の娘、徳子が嫁いだ。それに対応して紀州家では江戸中屋敷に才色兼備の侍女を集めた。その中枢にあったのが県門の三才女である。

紀州中屋敷の侍女たちは県門の三才女を中心として和歌を詠み交わし書簡を取り交し知的サロンを演出した。その華やいだ様子は中村幸彦（一九一一～一九九八）の論文、「紀州殿の閨秀歌人達」に描写されている（『中村幸彦著述集・第十二巻・国学者紀譚』収録）。

土佐日記の作者がいかなる人物であるかは、この作品の冒頭に記してある。土佐日記は「男もすなる日記（にき）というものを、女もしてみむとて、するなり。」という有名な一文から始まる。この一文に記してある通り作者は女性である。

土佐日記は紀貫之自身が女性に成りすまして書いたと考えられていたので問題がこじれてしまった。作品に書かれている通り女性が書いたということに気が付けば作者の問題は解決する。

土佐日記の地理的記述には実際に現地を旅した人なら絶対にあり得ないようなミスが多発している。それは書き手である鵜殿余野子の現地に対する土地勘が十分でなかったのが原因である。

余野子は江戸に生まれ育ち、江戸の紀州藩中屋敷に勤めたので西国の土地についてはあまり知識がなかった。しかし、紀州藩主が国元に帰るのに従い一度、紀州に赴き、しばらく滞在したことがあるようである。それで四国については、いくらか馴染みがあったので、その中途半端な土地勘を土台に土佐日記を記した。

これまで土佐日記が平安時代を代表する古典と考えられていたのは紀貫之という有名な歌人が作者と考えられていたからである。改めて読み直してみると、案外、その内容は平板で物足りない。

3．和泉式部日記の作者：油谷倭文子（ゆやしずこ）

県門の三才女、鵜殿余野子、油谷倭文子（ゆやしずこ）、土岐筑波子（ときつくばこ）の三人のうち鵜殿余野子と油谷倭文子の間で交わされた計八通の書簡が書簡集「ゆきかひ」にまとめられた。書簡は余野子のものが二通、倭文子のものが六通である。

油谷倭文子（一七三三〜一七五二）は若くして、その才気を謳われた。しかし、惜しくも数えで二〇歳、満一九歳で世を去る。師匠、賀茂真淵は、あたかも実の娘を喪ったかのように悲嘆に暮れた。

賀茂真淵というと遺された肖像画から厳（いか）つい人のようなイメージがつきまとう。しかし、実際には情の深い人であった。門下から女流の弟子が数多く育った理由は、そのあたりに見出せる。

周囲の人々が彼女の早世を悼み遺文集『文布（あやぬの）』が編纂された。書簡集「ゆきかひ」は、この遺文集の一部を構成する。書簡集「ゆきかひ」は『新日本古典文学大系68』で読むことができる。

私は書簡集「ゆきかひ」に収録された鵜殿余野子の書簡を読み始めた。土佐日記の作者は余野子と推定していたので、その推定が正しいことを確認するために彼女の文章を読んだ。

私は、この書簡集を読み進めるうちに驚愕した。しかし、驚愕させられたのは余野子の書簡ではなく、その文通相手の油谷倭文子の書簡の方である。そこに展開されていたのは一〇代の少女が書いたとは思えないような完成度の高い擬古文であった。それを読むとほんとうに平安時代の宮廷に仕える女房が同僚の女房と文通しているかのような錯覚すら覚える。

しかし、驚かされたのは文章の完成度だけではない。最初に読んだとき私は、これはどこかで読んだことのあるような文章だと思った。誰の書いた文章に似ているのかというと和泉式部日記の文章にそっくりなのだ。

全ての謎が解けた瞬間だった。和泉式部日記の作者は弱冠、一九歳で早世した天才少女、油谷倭文子であった。私は長い間、和泉式部日記の作者は誰なのか模索を続けていたのであるが、ついに正しい答えにたどり着いた。

和泉式部日記は分量こそ少ないものの内容の方は蜻蛉日記や源氏物語に劣らない。冒頭の「夢よりもはかなき世の中を嘆きわびつつ明かし暮らすほどに、四月十余日にもなりぬれば、木の下暗がりもてゆく。」という一文に目を通しただけで、この作品の作者が並々ならぬ文学的感受性の持ち主であることがわかる。そうなると、この物語の作者は第一級の才能の持ち主に限定される。

もともと、この和泉式部日記については当人が書き遺した日記ではなく第三者が創作した物語であろうという説が有力であった。その際、作者については、いろいろな仮説が提唱されていたのであるが、それは江戸時代中期の女性、油谷倭文子であることが判明した。

満二〇歳にもならない少女が、あの傑作、和泉式部日記の作者であるなどと指摘されても読者としては容易には信じられないであろう。それなら書簡集「ゆきかひ」に収録された倭文子の書簡を読んで欲しい。読者もその文章の水準の高さに驚嘆すると同時に彼女が和泉式部日記の作者であることを納得するであろう。

こうなると、この稀代の天才少女の早世が返す返すも惜しくなる。それと同時に才能と運命についても考えさせられる。これほどの才能の持ち主が、おそらく現代の医学なら容易に救えたであろう病により満二〇歳にもならず早世した。

翻って現代の先進国においては、たいして才能があるとも思えない新人が好条件を利用し多数、世に出て大量の凡作を量産している。文学のような特殊な世界では一〇〇人の凡才より一人の天才を世に出すよう努めるべきである。

4. 更級日記の作者：加藤千蔭（ちかげ）

続いて更級日記の作者を推理する。更級日記は従来、平安中期の女性、菅原孝標女（たかすえのむすめ）の作とされていた。日記と銘打っているものの内容は晩年の回想録である。紀行文の要素もあり群書類従では土佐日記と共に紀行に分類されている。

更級日記は一〇二〇年、著者が満一二歳の時、父親の国司任期満了により上総国（現在の千葉県中央部）から京へ上るところから始まり、一〇五八年、満五〇歳の時に夫が死去するあたりで終る。したがって成立は一〇六〇年頃と推定される。

しかし、これまでの探求成果からも明らかなように、この更級日記も江戸時代の人が平安時代の人になりきって書かれた。実際の作者についても見当がついている。更級日記を書いたのは賀茂真淵か本居宣長のどちらかである。

私は最初、賀茂真淵を第一の候補者と考えた。なんといっても真淵の方が先に擬古文の作成を始めたからである。それに真淵は浜松出身で更級日記前半の舞台である東海道に土地勘がある。おまけに東海道について『旅のなぐさ』、『岡部日記』という紀行文を二つも遺している。

しかし、本居宣長も一〇代の時に江戸で商人としての修業をしており故郷と江戸の間を往復している。この点を考慮に入れて更級日記を読むと本居宣長が作者であることを示唆する要素が多数見つかる。

まず第一に、日記が後半に差し掛かり主人公の年齢が進むにつれ浄土信仰が強まる一方、天照大神に対する信仰が差しはさまれる。仏道修行中に天照大神信仰が顔を出すのは唐突な印象を受ける。これは仏教より神道を重んじるべきだとの本居宣長の本心が出たものであろう。

仏教より神道を重んじるよう主張するのは賀茂真淵も同様であるから、これだけでは更級日記が本居宣長の著作であることを証する証拠にはならない。しかし、更級日記には少女時代の主人公が源氏物語の世界に没入するありさまが描かれている。主人公の源氏物語への熱中ぶりは尋常ではない。それは本居宣長が若き日の自分を戯画化して描いたと解釈できる。

源氏物語を研究した点については真淵も同様である。しかし、主人公の「源氏愛」としか言いようのない情熱は真淵より宣長を連想させる。このように考えれば更級日記の作者が本居宣長である可能性はさらに高まる。

擬古文の作成を始めたのは賀茂真淵のほうが早い。しかし、真淵の擬古文は硬直した感じがする。おそらく彼は平安時代の女性の文章を擬することは苦手であった。その点、本居宣長は真淵より上手（うわて）である。

宣長には「手枕（たまくら）」という源氏物語の文体模写が遺されている。これは光源氏と六条御息所の馴れ初めを描いたものであるが、内容そのものは論評するほどのものではない。しかし、宣長が平安女流文学の文体模写をする能力があることは、この文章により証明される。

これで更級日記の作者は一応、割り出せたと思えた。しかし、しばらくすると例によって、また疑念が湧いてきた。「手枕」に見られる宣長の文体と更級日記の文体とでは違いが大きすぎる。さらに問題なのは和歌である。

宣長は歌人としては一流とは言い難い。ところが更級日記に織り込まれたオリジナルの和歌には優れたものが多い。そうなると更級日記の作者は和歌の創作能力において宣長を上回る一流の歌人ということになる。

江戸時代中期において優れた和歌を創作し、しかも更級日記の擬古文を書き得る人物というと、その数は限られる。その中で更級日記の作者の最有力候補は、先に「2」で取り上げた加藤千蔭である。帝室御物に収められて現代まで伝わる更級日記定家写本もまた作者である加藤千蔭が自ら筆記したものと推定される。

加藤千蔭は江戸時代中期を代表する文化人で、県門の四天王の一人と謳われた一流歌人でもある。その作品として更級日記を通読すると、これまでとはまた別の味わいが楽しめる。更級日記の作者が加藤千蔭である可能性はかなり高い。

5. 大鏡の作者：新井白石

大鏡は平安時代も終りに近づいた一一〇〇年前後に成立したとされる。これは平安文学の主流を占める女流文学と異なり男性によって書かれた。文体や論述のスタイルも次の章で紹介する鎌倉文学に近づいている。

これは八五〇年から一〇二五年までの宮廷の歴史を二〇〇歳近い老人二人が語り合い、それを媼（おうな）と若侍と筆録者の三人が取り囲む座談形式で進行する歴史物語である。歴史物語は歴史を題材にした物語で、本来の歴史書が漢文で書かれているのに対して、ひらがなで書かれる。

この大鏡とそれに続く今鏡、水鏡、増鏡を四鏡（しきょう）と称する。そうすると大鏡が歴史物語の嚆矢かというと、そうではない。最初の歴史物語は栄花物語である。しかし、この栄花物語は道長の栄華を手放しで礼賛するのみで大鏡のような深みがない。

大鏡の成立の謎を解くにあたっては、やはり、その内容から筆者を推理するのが唯一の方法である。そこで私は大鏡の内容を踏まえたうえで一七世紀と一八世紀の知識人や政治家の中で歴史の素養のある人物を片端から検討した。

しかし、大鏡の作者としての条件に符合する人物はなかなか見つからず作業は難航した。けれども、消去法で多くの候補者を除外して行くと一人の人物が残された。新井白石（一六五七～一七二五）である。

この新井白石という人物の人間性、そして彼が抱いていた世界観のいずれもが大鏡の世界を支配する価値観にぴったり符合する。新井白石という人物について調べれば調べるほど彼ほど大鏡の作者にふさわしい人物はいないと思われた。大鏡の作者が新井白石である可能性は高まる。

新井白石は一六五七年三月二四日、明暦の大火の翌日、江戸に生まれた。父親は房総半島中央部を治める久留里藩の藩士であったが、一六七七年に失職し白石は経済的には貧しい幼少時代を送る。さらに壮年期になってからも、仕えていた堀田家が没落したのに伴い自らも困窮を余儀なくされる。

このように白石は幼児期から壮年期に至るまで不遇と困窮の中で人生を送ることを余儀なくされた。しかし、彼は、その間、決して勉学を怠ることはなかった。それが、結局、政治家として文人として大成する下地を作った。

白石の運命を変えたのは甲府藩への仕官である。一六九三年、白石は師、木下順庵の推挙により甲府徳川家に仕官する。一七〇九年、五代将軍綱吉が死去したのを受けて同年、甲府藩主、徳川綱豊が六代将軍家宣（いえのぶ）となる。それは白石の運命をさらに上昇させる。

幕臣となった白石は将軍直属の政治顧問のような地位に就き儒教に基づく徳治主義

政治を推進する。一千石取りの旗本になったばかりの人物が幕政の中枢を担うなど前後に例がない。しかし、家宣に続いて、その子の家継も死去し一七一六年、八代将軍吉宗が誕生すると、白石も政界を退かされる。

白石が政治の中枢にあったのは七年ほどの期間にすぎない。政界を引退した白石は千駄ヶ谷に屋敷をあてがわれ引退生活を送る。九年ほど隠棲所で研究と著作に没頭した後、一七二五年、白石は世を去る。六八年の生涯であった。

白石の著作の大部分は、この千駄ヶ谷における引退生活で生み出された。読史与論、古史通、折たく柴の木などについては読者もご存じであろう。もし、長期に渡り幕政の中枢にあれば、これらの著作の大半は生まれなかったであろう。したがって、白石の政界早期引退は文化的にはプラスに作用した。

大鏡には作者である新井白石の歴史観が反映している。作者が新井白石であることを知って初めて大鏡という書物を深く理解できる。白石は徳川氏を藤原氏に、徳川家康を藤原道長になぞらえている。

大鏡は権力闘争の勝者である藤原北家とその氏の長者である道長を世の中に秩序を

もたらした存在として称賛する。これは暗に戦乱に終止符を打ち天下に太平をもたらした家康を称賛することに通じる。白石は道長の太政大臣就任を正当化することにより家康の征夷大将軍就任をも正当化する。

結局、大鏡は徳川氏の天下統一を正当化し称賛する意図で書かれた。しかし、白石は盲目的に権力に追従しているのではない。道長のような最高権力者もモラルに則り行動すべきと考えており、理に反する行動をした場合は最高権力者といえども非難は免れないとする。

大鏡は新井白石の徳治主義的な政治理論によって貫かれている。こうした観点から大鏡を読むと理解は深まる。逆に言うと、この点を考慮に入れるならば大鏡の著者が新井白石であることは、ほぼ確実ということになる。

第3章 枕草子の謎に迫る

1．枕草紙と『ひとりね』：作者はどちらも柳沢淇園（きえん）か

源氏物語の作者紫式部と枕草子の作者清少納言は、いわゆる平安女流文学の双璧と言われ、紫女、清女と並び称される。しかし、この二人のうち紫式部については、これまでの分析で虚像であることが判明した。そうなると残る清少納言についても、その実像の根本的な洗い直しを迫られることになる。

これまでは清少納言は紫式部より年長の人であるから枕草子は源氏物語より先に成立したと考えられていた。しかし、枕草子には意外に新しい面があり、むしろ源氏物語よりも後に書かれたような印象も受ける。もとより作者は古代の女官になりきって執筆している。けれども、その反面、ところどころに近代的な感性が表出している。

枕草子の作者が誰であるのか、はっきりした答えはなかなか出てこなかった。初めのうち、私は枕草子の作者は松平定信（一七五九～一八二九）であろうと推理した。私

は定信が花月草紙という随筆集を遺していることに着目し、表向きの随筆集が花月草紙、裏でこっそり執筆した随筆集が枕草子と考えた。

しかし、この推論には決定的な弱点があった。定信が政界を引退し本格的に著述に取り組んだのは五〇歳を超えてからである。しかし、枕草子は群書類従に掲載されているので、遅くとも一七八〇年頃までには完成されていなければならない。そうなると枕草子の作者は松平定信とする仮説は成り立たなくなり議論は振り出しに戻る。

そこで私が松平定信に続く第二の候補者として着目したのは江戸中期の文人画家、柳沢淇園（やなぎさわきえん）である。柳沢淇園（一七〇三～一七五八）は柳沢家に仕える筆頭家老の家柄に生まれた。

藩主、柳沢家は老中、柳沢吉保（一六五九～一七一四）を始祖とする。吉保の死後、一七二四年、子の吉里の代に柳沢家は甲州から大和郡山に転封になる。淇園の一族は、この柳沢家の一族ではないが忠勤に励んだ結果、主君と同じ姓を名乗ることが許されていた。

淇園は幼いころから諸芸に通じていることで著名であった。とりわけ画才はずば抜けており江戸中期の文人画の大成者と目される。文雅の方面では漢詩人として名を成すと同時に随筆『ひとりね』の作者として知られている。

この随筆『ひとりね』は弱冠二一歳の時に書かれたもので、その才能の早熟さは人々を驚嘆させた。それは江戸時代には刊行されず筆写により流布した。刊行されたのは明治時代になってからで戦後になってからは日本古典文学大系に収録された（岩波書店刊・『日本古典文学大系96』）。

実際に読んでみると広範な話題について機知に富んだ文章を展開しており天才の作とする従来の評価も決して過大なものではない。枕草子の作者は柳沢淇園かも知れないと考えた私は、さっそく、この『ひとりね』と枕草子を比較した。

そうすると期待通りの結果が出た。この二冊の作者には顕著な性格的類似性が見られる。どちらの作者も古典の知識が豊かで頭の回転も早い。しかし、衒学的過ぎて、それが鼻に付くことが多い。

枕草子で最も有名な中宮定子に香炉峰の雪について尋ねられた時の清少納言の行動などは、その好例である。『ひとりね』を読んだときにも、それと似たような印象を受ける。

この類似性は単なる偶然とは思えない。したがって『ひとりね』の作者と枕草子の作者が同一人物である可能性は高い。そうすると『ひとりね』の作者は柳沢淇園であるから枕草子の作者も柳沢淇園という結論が導かれる。

2.『ひとりね』の作者：山東京伝

これで長年の懸案であった枕草子の作者という難問が解決された。私は、しばしの間、爽快な気分に浸ることができた。しかし、ほどなくして私の脳裏には一つの疑念が生じた。そもそも『ひとりね』の作者は、ほんとうに柳沢淇園なのだろうか。実際、この点に関しては疑わしい点がたくさんある。

第一に、この作品の作者は、どこから見ても人生の機微に通じた壮年期以降の人物である。いくら早熟な才能の持ち主であっても二〇代初めの青年には、このような文章を書くことはできない。

次に、この作品の作者は色街に頻繁に出入りし遊女との交情を楽しんでいるのであるが、これは町人の遊び方であって家老の家柄の武士の遊び方ではない。この作品の作者は、どこから見ても町人か下級武士であり上級武士ではない。

そこで『ひとりね』の真の作者は誰なのか探ってみると、その人物はすぐに見つかった。山東京伝（一七六一～一八一六）こそ、この随筆集の作者にふさわしい。山東京伝なら『ひとりね』の作者のイメージにぴったりフィットする。

山東京伝は一七六一年八月一五日に江戸深川に生まれ、一二歳で京橋に移る。本業である文業のみならず遊びの面でも早熟で、一〇代の頃から遊郭に入り浸る。しかし、この遊郭通いは京伝に戯作者として大成するための栄養源を提供することになる。

京伝は早くも二〇代にパワー全開となり、質量ともに衆に抜きんでた洒落本・黄表紙を量産し始める。京伝の二〇代は天明年間（一七八一～一七八九）、西暦では一七八〇年代に重なる。京伝は、まさしく「天明の申し子」とも言うべき新進作家であった。

京伝は早くも天明五年（一七八五年）には黄表紙、江戸生艶気樺焼（えどうまれうわきのかばやき）で戯作界の頂点に立つ。黄表紙は挿絵に大きなスペースを割いた読み物で表紙が黄色いので黄表紙と呼ばれる。

続いて京伝は洒落本の傑作群を量産する。洒落本は遊郭における遊客と遊女の会話を主たる内容とする本で人物の行動はト書きで記入される。これは予想されるがごとく京伝の最も得意とする題材となる。京伝の洒落本は単なる風俗小説を越えて人間性の真実に迫っていると評されている。

しかし、三〇代を迎えた京伝に異変が生じる。寛政三年（一七九一年）、老中松平定信による、いわゆる寛政の改革で京伝は風俗紊乱の科で手鎖五〇日の処罰を受ける。これは同時期のヨーロッパや中国における言論弾圧に比べれば温和で節度ある措置と評せる。しかし、小心者の一面があった京伝は、すっかり委縮してしまう。

京伝は、その後、しばらく沈黙を守り、さらに数年、経過した後に作風を転換したうえで再起を図る。この時期の京伝は、いわゆる伝奇物を中心とする読本（よみほん）に取り組む。しかし、読本作家としての京伝は後輩にあたる曲亭馬琴（一七六七～一八四八）の後塵を拝することになり苦しんだ。

馬琴は正式に入門した弟子ではなかったものの弟子に近い形で京伝宅に出入りしていた後輩である。したがって、読本の分野において馬琴の人気に及ばなかったことは京伝のプライドを傷つけた。

三〇代に入りいよいよ円熟期を迎えようとしていた京伝は本来の得意分野である洒落本・黄表紙の分野から退出を余儀なくされた。それは日本文芸界にとっても大きな損失であった。しかし、それは歴史の表面に現れた現象にすぎない。歴史の深層では思わぬ事態が展開していた。

一七九一年に寛政の改革による弾圧を受けてから読本作家として再起するまで京伝の生活史には数年のブランクが存する。その間、彼は随筆の著作に取り組んだ。それが枕草子である。最初に京伝は八〇〇年前の宮廷に実在したと考えられていた女房になりきり随筆、枕草子を書き綴る。このように私は推理した。

続いて四〇代に入った京伝は若き日の遊郭遊びを回想しつつ随筆、『ひとりね』を執筆する。これは京伝が彼より半世紀昔の世界に生きた柳沢淇園という人物の名を借りて執筆した。

山東京伝は一八一六年一〇月二七日、満五五歳で急逝する。後には一般に知られた戯作の作品群と一般には京伝の作であることが知られていない二冊の随筆、枕草子と

『ひとりね』が遺された。

源氏物語や伊勢物語に並ぶ重要作品である枕草子の作者が未確定であることに私は焦燥を感じていた。しかし、この著書の執筆途上、二〇二二年一二月八日、枕草子の真の執筆者が江戸時代中期の戯作者、山東京伝であることを突き止めた。

源氏物語の作者が下河辺長流であることを突き止めたのは二〇二〇年一〇月四日であるから、それから二年二ヶ月の月日が流れていた。源氏物語の作者を突き止めてから枕草紙の作者を突き止めるまでは長い道のりであった。私は、綿密に検討を重ねた結果、枕草子の作者は山東京伝である可能性が高いという結論に達した。私は、しばしの間、これで一安心という心境に浸れた。

3. 枕草子・紫式部日記の作者：戸田茂睡

以上が第一の推理の経緯である。これで枕草子は書き手の名のみならず、執筆時期も明らかになった。枕草子は山東京伝により一七九〇年代に書かれた。京伝は八〇〇年前の宮廷に実在したと考えられていた女房になりきり、この随筆を書き綴ったと私は考えた。

しかし、ほどなく私の脳裏に再び疑念を生じさせる事態が生じた。『ひとりね』に枕草子に関する記事が顔を出しているのだ。『ひとりね』の八五段は「枕草子に、『春は明ぼの、やうやう』とかきしも、いかさま心にくからねど、からすの聲は何方にてもいやなるはづ也。」と記す。

こうなると山東京伝が枕草子と『ひとりね』の双方を書いたとする推理は怪しくなる。自分で書いた文章を古典として引用していると解釈することもできるが、やはり不自然さは残る。

そこで私は三たび振り出しに戻り枕草子の作者探しに挑むことにした。松平定信、柳沢淇園、山東京伝と三人の候補者を渡り歩き、ようやく四人目で真の作者を探り当てることが出来た。本居宣長である。『ひとりね』の作者を山東京伝と考える推理は正しいので、そのまま結論を維持できる。

国学の大成者、本居宣長は擬古文の名手でもある。その宣長は枕草子の作者でもあった。さらに宣長には枕草子のような文章群を創作する動機が見出される。彼は青年期から王朝文化に対する強い憧れを持ち続けていた。そこで宣長は一条朝という名の架空の宮廷を創作し、そこで清少納言という伝説上の女官を縦横無尽に活躍させた。

説得力のある推理を組み立てることにより有力な候補者を探り当てた。それで私は一息つくことが出来た。

しかし、それも束の間、この推理を覆す書物があるのに気が付いた。安藤為章（ためあきら）が源氏物語を論評した『紫家七論』である。彼はこの本で紫式部を称賛するに際して清少納言を引き合いに出し、その軽薄さを難じている。

『紫家七論』の成立は一七〇三年とされているので、その年代が正しいとすると枕草子も一七世紀中に書かれていなければならない。そうなると枕草子の作者は本居宣長ではあり得ない。真の作者は一七世紀の人ということになる。

そこで一七世紀の文人から枕草子の作者にふさわしい人物を求めると有力な候補者が見つかった。前章の「1」で扱った戸田茂睡（一六二九～一七〇六）である。伊勢物語と竹取物語の作者と目される戸田茂睡は枕草紙の作者でもあった。

戸田茂睡の主著、『紫の一本』自体、彼が枕草子の作者であると推論する論拠となる。江戸の地誌を紹介する『紫の一本』は山や川の名を挙げ、それについて論じるという形で進行する。それは枕草子の「山は」あるいは「川は」といった表現を連想させる。この二つの書物の著者は同じ癖を共有する。そこから進んで、この二冊の書物の著者は同一人物であると解することは決して無理ではない。

一般に流布している枕草子は類聚的断章、随筆的断章、日記的断章（正確に言うと回想的断章）の三種が混然一体となっている。ところが、この雑纂本に対して種別にまとめた類纂本も存するので事態は複雑になる。

さらに雑纂本は三巻本系と能因本系に分かれ、類纂本は堺本系と前田家本系に分かれる。結局、枕草子は主なものでも四系統に分かれ、そのうちどの系統がオリジナルなのか、なかなか結論が出ない。

しかし、この問題については、あまり深刻に考えなくともよい。三巻本こそ茂睡が作成したオリジナルに最も近い善本で、他の三種はすべてオリジナルが劣化したものと考えればそれで足りる。

戸田茂睡は、もう一つ、擬古文の作品を創作していた。いわゆる紫式部日記である。

紫式部日記は戸田茂睡により創作された。これは一条朝の宮廷に仕える女房が一〇〇八年九月から一〇一〇年一月までの宮廷内の出来事と同僚の女房への論評などを織り交ぜた日記と解されていた。茂睡は文体模写に成功し、すっかり平安時代の宮廷に勤める女房になりきって執筆している。

一〇〇八年一一月における親王誕生前後の出来事については、この日記の記事が栄花物語にそっくりそのまま引用されている。栄花物語は一八世紀の初頭、水戸藩の彰考館に勤める安藤為章（一六五九〜一七一六）らによって編纂された。彰考館の本来の業務は大日本史の完成であるが、それとは別に栄花物語の編纂も手掛けていた。紫式部日記が先に成立し、それに続いて栄花物語が書かれた。したがって、紫式部日記もまた一七世紀中に成立していなければならない。

紫式部日記の末尾近くに「源氏の物語、御前にあるを、殿の御覧じて」と記してある。これは「源氏物語の手稿が中宮彰子の御前にあるのを藤原道長が手に取って御覧になった」という意になる。それで後世の人々は、これで一一世紀初頭の宮廷内で源氏物語が読まれていたことは間違いないと信じ込んでしまった。

紫式部伝説は確定した。世人は一条朝の宮廷において紫式部という女房が源氏物語を執筆したことは確実だと信じた。それまで紫式部という人物は単なる伝説上の人物で、ことによると源氏物語の作者かも知れないなどと噂されていたにすぎない。しかし、茂睡は、この伝説上の人物に、はっきりとした輪郭を与えた。

戸田茂睡は紫式部が源氏物語の作者であるという神話を意図的に広めた。現代人は茂睡にまんまと乗せられた。茂睡自身は源氏物語の真の作者が下河辺長流であることを知っていたのか、知らなかったのか。その可能性は半々ぐらいで、どちらとも判定できない。もし、知らなかったとすると彼もまた紫式部伝説に翻弄されていた。

4．一条朝：創作された架空の王朝

一条天皇（九八〇〜一〇一一）が在位した九八六年から一〇一一年までの二五年間は一般に一条朝と呼ばれる。この一条朝においては貴族の政争の結果、藤原道隆あるいは藤原道長といった強力な指導者が出現し、その一方では後宮において才気ある女房たちが宮廷文化の花を咲かせた。

一条朝の後宮においては、その前半では定子（九七七～一〇〇一）、その後半では彰子（九八八～一〇七四）という二人の中宮が主役を務めた。定子の入内は九九〇年、彰子の入内は九九九年で、彰子の入内以後は皇后が二人並び立つという異例の事態となる。

このような事態の背景には藤原北家内部における主導権争いがあった。摂関政治においては天皇の外戚となった一族が摂政あるいは関白の地位を占め政治の実権を握る。したがって誰が娘を入内させ次代の天皇の祖父となるかが次の権力者を決める。

摂関家の当主、藤原兼家の長男が道隆、五男が道長である。当初は定子を入内させた道隆が摂政・関白として政治の実権を握っていた。しかし、九九五年に道隆が死去すると道隆の遺児、伊周（これちか）と道隆の弟にあたる道長の間で権力争いが生じる。

翌年、伊周は失脚し道長が勝利を収める。勝利を収めた道長は娘の彰子を入内させ勝利を確実なものとする。道長は摂政を経て太政大臣になる。

枕草子の作者とされる清少納言が宮廷に出仕したのは九九三年の秋のことである。

それは一条朝の比較的初期にあたる。枕草紙の記述が終結するのは一〇〇〇年の初夏であるから、結局、それは七年間弱の出来事を描写していることになる。

九九四年二月、道隆一族が宮中に勢揃いする記事が枕草子全体のクライマックスになる。この頃、道隆一族は全盛期を迎えていた。清少納言は、その華やいだ様子を美しく描写している。

しかし、幸福な時期は長くは続かず、翌九九五年に道隆が死去すると一族全体の運命に暗雲が立ち込める。さらにその翌年の九九六年に伊周が道長との政争に敗れ失脚すると定子の後宮の栄華も下り坂に向かう。枕草子の一見、楽し気な描写の背後には一抹の寂しさのようなものが隠れていることが多い。

一方、紫式部日記の舞台は一〇〇八年九月から一〇一〇年初頭に設定してある。茂睡は一条朝宮廷の前半と後半を区別して創作したことになる。この頃になると定子は既に死去し清少納言も宮廷を退いていた。

結局、われわれは戸田茂睡に騙されていた。しかし、騙されることにより豊かな宮廷女流文学を堪能することができたのであるから、騙されることも悪いことではない。

茂睡も一から一条朝の宮廷文化を創作したのではなく、基本的な事実については残されていた記録に依拠し細部のエピソードを創作した。

けれども前著、『世界の真実』の読者なら既にご存じのように一六〇〇年付近を通過する「歴史の断層線」の向こう側は伝承の世界である。そこに歴史はない。古代の記録なるものも単なる想像の産物にすぎない。したがって一条朝も源氏物語の舞台となった王朝が架空の王朝であるのと同じように架空の王朝である。

戸田茂睡は枕草子において一条朝の前半、中宮定子の時代に舞台を設定し清少納言という女房の行動を描いた。続いて彼は紫式部日記において一条朝の後半、中宮彰子の時代に舞台を設定し紫式部という女房の行動を描いた。まことに心憎いばかりの演出である。

茂睡は古代の記録を土台に清少納言と紫式部という二人の才気に富んだ女官を創造し、一条朝の宮廷で個性豊かな才女を演じさせた。その結果、現代人のわれわれは平安女流文学という幻想にどっぷり漬かることになった。見事というほかはない。しかし、茂睡も過去の伝承を事実と信じ込まされていたのであるから、彼も現代人と同じ穴のムジナとも言える。

一七〇六年、戸田茂睡は七七歳の生涯を閉じる。当時としては長命な一生である。遺族の元には枕草子の手稿が遺された。枕草子は未完成な手稿のまま書写され、その結果、各種の異本を生じることになる。

一方、その後、江戸の和学講談所では群書類従の編纂のため武家や寺社はもとより一般の商家や農家にも文化的価値のある文書の提出を求めた。そこで誰が送ったのかは不明であるが枕草子の多数の流布本の一つが伝来の古文書として和学講談所に提出された。枕草紙が文字通り草稿のまま世に出ることになった背景には、このような事情があった。

もともと枕草子は謎に包まれた書物である。しかし、その謎が解けてみると、それは江戸時代初期、一七世紀後半に戸田茂睡という国学者により創作されたものであった。それは国学者らによる巨大な創作運動の一環として生み出された。

一七世紀後半には下河辺長流により蜻蛉日記と源氏物語が、戸田茂睡により伊勢物語、竹取物語、枕草子、紫式部日記が執筆された。長流と茂睡は時を同じくして創作に没頭していた。この二人が相手の創作についてどのくらい意識していたのかは興味深い問題である。しかし、今となっては正確なところは知り得ない。

一八世紀に入っても、この創作運動はさらに続いた。この世紀には土佐日記、和泉式部日記、更級日記、大鏡などが生み出された。

以上で平安文学の主な作品が創作された真相に到達することができた。次の章では同じ手法を用いて中世文学創造の謎を解き明かす。

第4章　日本中世文学の作者：江戸時代の隠れた偉人

1．方丈記の作者：中根東里（とうり）

この章では方丈記、平家物語、徒然草という日本中世を代表する作品について、いつ、誰が書いたのか、という問題について解答を求める。そこで、まず方丈記から、その成立過程の探求を開始する。

この方丈記については、その本文の末尾に「時に建暦二年（一二一二年）、弥生のつごりごろ、桑門（そうもん）の蓮胤（れんいん）、外山（とやま）の庵にて、これを記す。」とある。桑門の蓮胤とは「僧侶の長明」という意味であるから、これは著者自らが、いつ書き上げたのかを明記したことになる。

これは日本の古典としては珍しい。しかし、本文の末尾にこのように記されていても、それが真実であるという保証はない。平安文学の代表例である源氏物語や枕草子について、すでに江戸時代に書かれた書物であるという心証を得ている。方丈記についても先入観を持たずに成立事情を探求しなければならない。

方丈記についても、これを、いつ誰が書いたのか探求するにあたっての最大の手掛かりとなるのは、やはり、その本文そのものである。本文を熟読すると浮かび上がってくるのは、一人の隠者である。しかし、その隠者は単なる遁世家ではなく、人生と社会についての深い洞察を持つ第一級の人物であることがわかる。

このような観点から江戸時代に生きた人の中から方丈記の作者にふさわしい人物を探すと、そのイメージ通りの人物を見出すことができる。良寛（一七五八～一八三一）である。この良寛という人物の人生行路をたどって行くと、彼が方丈記を執筆した確率は高いという心証を得ることができる。

良寛は越後の国、出雲崎に生まれ青年期は現在の倉敷市にある名刹で一〇年ほど修業を続けた。良寛というと柔和な人物像を連想することが多い。しかし、青年期には厳しい修行を重ねていた。彼には禁欲的な側面もあることを忘れてはならない。

良寛は、その後、諸国を放浪した後、一七九六年に帰郷する。帰郷後は、いくつかの寺の境内に仮住まいしながら托鉢生活を送る。しかし、一八〇四年には国上山（くにがみやま）、国上寺（こくじょうじ）の五合庵に定住する。国上山は現在の新潟県燕市にある標高三〇〇メートルほどの山で国上寺は、その中腹にある。

五合庵で一二年ほど過ごしたのち、一八一六年、良寛は同じ国上山の麓に草庵を構え、そこに一〇年間、定住する。この国上山の麓の草庵こそ方丈記の舞台となる草庵であると私は考えた。

方丈記には草庵に住み始めて五年ほどになると記されているので、その部分を執筆していたのは一八二一年と推定できる。方丈記の末尾に付記された執筆年代からは六〇〇年も後にずれる。方丈記の作者は良寛だとする見解には、一つ具体的な証拠を提示することができる。方丈記の一節とそっくりな表現が良寛の漢詩に見出せる。

方丈記の冒頭近くに「知らず、生まれ死ぬる人、何方（いずかた）より来りて、何方（いずかた）へか去る」という一文がある。これに対して良寛の漢詩には「我が生、何処より来り去って何処にか之く」という一文がある（中野孝次著『すらすら読める方丈記』一一三頁）。この対応関係は単なる偶然とは思えない。

このように方丈記の作者にふさわしい人物を割り出すことができて私は快い気分に

浸っていた。ところが、程なく困った事態に直面する。方丈記の作者を良寛と解する仮説は群書類従の編纂事業と矛盾する。

塙保己一（はなわほきいち）により一大叢書、群書類従が連続して刊行されたのは一七九三年から一八一九年で、この群書類従の雑部に方丈記の全文が掲載されている。ところが良寛が作者だとすると方丈記の推定執筆年代は一八二〇年代ということになり矛盾が生じる。

私は落胆した。せっかく方丈記の作者のイメージにぴったりな候補者を見つけることが出来たと思ったのに、その推理は間違いらしい。もはや視点を換えねばならない。そう考えて私は良寛よりも前の世代に候補者を探すことにした。

探索を続けた結果、私は有力な候補者を探し出すことができた。中根東里（とうり）である。この中根東里（一六九四〜一七六五）という江戸中期の文人は近年になるまで、ほとんど完全に忘却されていた。したがって、まず、この中根東里という人物がいかなる人物であるのかを読者に説明しなければならない。

中根東里は一六九四年、伊豆国下田に生まれた。満一二歳の時に父親が死去したのに伴い出家し一九歳になるまで各地の寺で学僧として仏教を学ぶ。一〇代の終り頃には仏典を中国語で読む能力に卓越した才能を示し周囲の注目を集める。

その後、東里は江戸に出て荻生徂徠に入門する。そこでは優れた漢詩を詠んで師匠らを唸らせる。しかし、荻生徂徠とは、そりが合わなかったようである。徂徠と東里の師弟関係については磯田道史氏の著作、『無私の日本人』に表現豊かに描写されている。しかし、想像を交えてあるので歴史小説として読むべきであろう。

東里は還俗後の一七一六年、朱子学者の室鳩巣と供に金沢に移る。金沢藩からは仕官を強く勧められたが断り、数年後に江戸に帰る。金沢藩のような大藩に学者として召し抱えられることは当時の知識人にとっては最大級の名誉である。ところが、それを断ったというのであるから周囲から変わり者扱いされたのも無理はない。

江戸に帰ってからは弟と合流し清貧というよりは極貧の生活を送る。下駄や草鞋を作り飢えを凌いだというエピソードが伝えられている。しかし、この種のエピソードには創作が多いので、そのまま信じることはできない。貧窮ぶりも実際以上に誇張されている可能性が高い。この頃、東里は朱子学から陽明学に転じている。

一七三五年、下野国植野村（現在の栃木県佐野市）に移る。支援者の邸内に小さな庵を結んで、そこで門弟たちに講義を開始する。この時期になると東里の学識と人格を慕って少なからぬ門人が周囲に集まり始める。経済的に余裕のある門人は物品面での支援を惜しまなかったので東里の経済生活は好転する。

東里は植野村で二七年間暮らし、一七六二年、姉のいる浦賀村（現在の神奈川県横須賀市）に移り、三年後の一七六五年、その地で没する。満七一年の、ひたすら真理と人間性を追究する高潔な生涯であった。

方丈記を一読すれば、この書が知性と人間性の両面において卓越した人物によって書かれたことが理解できる。一方、江戸中期、つまり一八世紀の日本において中根東里は知性と人間性の両面において抜きん出ている。中根東里が方丈記の作者である可能性は極めて高い。

東里が方丈記の作者であることを証明する具体的な証拠は乏しい。しかし、一つだけ東里が方丈記の作者であることを示唆する具体的な証拠を挙げることができる。それは幼い子供に向けられた愛情である。方丈記には一〇歳の少年との交流が記されており作者が年少者に愛情を注いでいたことがうかがわれる。一方、東里自身には子がなかったものの幼い子供に並々ならぬ愛情を示したことが知られている。

結局、方丈記の作者とされる鴨長明なる人物は中根東里の分身であった。草庵に住む教養豊かな文人とは東里そのものである。彼は方丈記という古典の歴史に残る名随筆を書き遺した。

2. 平家物語の作者：これも中根東里

方丈記に続いて平家物語の作者を推理する。平家物語の作者については未だ定説がない。しかし、これに関しては、探求を開始して間もなく候補者の目星がついた。江戸時代の浄瑠璃作者、近松門左衛門（一六五三～一七二四）である。

もちろん、彼は候補者にすぎず、近松が平家物語を書いたことを証明する具体的な証拠があるわけではない。しかし、諸般の状況を総合的に判断すると彼が平家物語の作者である可能性はかなり高いと私は考えた。

平家物語全体を貫く調べは、一般的に言って近松が書いた浄瑠璃の調べに似ている。

一つ具体例を挙げると平家物語の壇ノ浦の合戦において建礼門院（平徳子）が安徳天皇を抱いて入水する場面で発する「浪の下にも都の候ぞ」などというセリフは、そのまま近松の心中物に使えるようなセリフである。

反面、平家物語は、あくまで軍記物語なのであるから、やはり、その作者は勇壮な合戦場面が書ける人でなければならない。そうすると、武士階級に属しながら文人としての素養も豊富な人物が候補者にふさわしいことになる。この点も、もともと武家の出である近松門左衛門は作者の条件を満たす。

このようにして平家物語の作者の候補者として好適な人物を探し出すことができた。私には平家物語の作者は誰かという問題は解決したように思えた。しかし、しばらくすると平家物語の作者を近松門左衛門と推定することには、ある種の違和感のようなものを感じるようになった。

近松門左衛門では平家物語の作者のイメージと微妙なズレがあるように思えた。平家物語の作者は仏教関係者のような気がした。平家物語を読む人は誰でも仏教関係者が戦乱の犠牲者の鎮魂のために書いた書物という印象を受ける。

そこで仏教関係者の中から候補者を探すと中根東里（一六九四～一七六五）の名が真っ先に頭に浮かんだ。東里は少年時代、僧侶として育てられた。東里なら平家物語を書き上げるだけの文才と学識を備えている。

それになんと言っても東里は前項で明らかになったように方丈記の作者でもある。もともと方丈記と平家物語は大体、同時期に成立した書物と考えられており文体にも共通性が見られる。あらためて方丈記と平家物語を読み比べてみると両者の類似性に驚かされる。

方丈記と平家物語は同じ時期に同じ人物により書かれた。そうすると方丈記の作者が東里と推定できるなら平家物語の作者も東里と推定できるということになる。平家物語の作者が東里である可能性は、かなり高い。

平家物語の主題となっている源平の合戦は、まったくの架空の物語である。平家物語は歴史書ではなく物語なのであるから、大幅に脚色してあることは当然としても下敷きとなる源平の合戦は歴史的事実と考えられてきた。しかし、実際は脚色されていたなどという程度ではない。それは完全な架空戦記である。

源平の合戦のみならず平安から鎌倉にかけての、いわゆる歴史なるものは、ほんとうは創作物語にすぎない。それは先に刊行された『世界の真実』の読者には、すでに明らかであろう。

中根東里は日本三大随筆の一つ方丈記と軍記物語の最高峰、平家物語の作者であった。東里は中世文学の代表作二つを創作していた。東里は一八世紀半ばに方丈記と平家物語を完成した。彼は後世に名を遺すことは望まず、草稿の大部分を自ら焼き捨てたと伝えられている。実際、漢詩文の草稿は、かなり焼き捨てたようである。

しかし、最も心血を注いだ方丈記と平家物語の草稿は廃棄しなかった。この二つの草稿は書写によって伝えられ、やがて刊行される。両者の、はっきりした刊行時期は不明である。しかし、遅くとも一八世紀の終りまでには刊行されたと推定される。

中根東里は、わずかな足跡を遺しただけで歴史の闇へと姿を消した。しかし、彼は方丈記と平家物語の作者として、やがて脚光を浴びることになろう。現代人としては、これほどの人物をそのまま放置しておくことはできない。

平家物語と並んで軍記物語の双璧とされる太平記の作者については現在のところ定

説がない。しかし、この点について私は太平記の作者は藤原貞幹（ふじわらさだもと）である可能性が高いと思う。

藤貞幹（一七三二～一七九七）は江戸中期の日野氏出身の学者で、現代の文献学や考古学の先駆者とも評せる。太平記に日野氏に好意的な記述が散見されるのは作者である藤貞幹が日野氏出身であるからと考えれば辻褄が合う。

太平記は一三一八年から一三六八年に至る約五〇年間、鎌倉時代末期から南北朝時代にかけての半世紀の政治変動と戦乱を四〇巻にまとめる。その膨大な量からすると藤貞幹一人では書ききれず水戸藩彰考館の館員たちとの共著であった可能性もある。いずれにせよ文学的感興という点については太平記は平家物語に遠く及ばない。

3. 徒然草の作者：藤貞幹（とうていかん）

日本中世文学を彩るのは軍記物語だけではない。この時期には随筆の執筆も盛んであった。古典文学における三大随筆のうちの二つ、方丈記と徒然草が書かれたのは、この時期であるとされている。一般には方丈記の一〇〇年後に徒然草が成立するとされている。実際のところ両者の成立年代にどのくらいの開きがあるのか、この後、明らかになる。

徒然草の作者は吉田兼好と信じられており、そのことに疑いを差しはさむ人はあまり見当たらない。しかし、その根拠は一四三一年に正徹と称する人物が写本を作った時に作者は吉田兼好だと付記したことがあるのみである。したがって、よく考えてみるなら確かな根拠は一つもないことがわかる。

この写本は現在流布している刊本の基礎となっている良本である。しかし、これも、ほんとうに一四三一年に書写されたという確証はない。そもそも吉田兼好という人物に実在性が乏しい。兼好法師などという人物は徒然草の作者に祭り上げるために創作された人物という印象が強い。

そこで、いつものように私独自の観点から作者と成立時期を探って行くことにする。

私は、まず最初に徒然草の作者は貝原益軒（一六三〇〜一七一四）ではないかと考えた。

徒然草には薬草の知識が披露されているからである。

しかし、徒然草の第二二六段に平家物語の作者に関する記述が出ている。徒然草の作者が貝原益軒だと考えると平家物語の作者が中根東里（一六九四〜一七六五）だという推理と矛盾が生じる。この点を考慮すると徒然草の作者が貝原益軒であるという説は、もはや成り立たない。

さらにもう一つ問題がある。徒然草の文体や着想の新しさである。それは一八世紀半ばに中根東里が執筆した方丈記よりもさらに新しい。徒然草の作者は貝原益軒ではない。徒然草の作者は中根東里より後の世代の人物と考えられる。そこで、一八世紀後半以降に活動した人物で徒然草の作者にふさわしい人物を探ることにした。

その際、いちばん参考になるのは徒然草の本文そのものである。そこに表記された思想や美意識から、どのような人物がこれを書いたのか推理できる。この徒然草という書物を執筆した人物の実像を浮かび上がらせる一節を冒頭から間もないところに見出すことができた。

「人はわが身の節度をよく守って、驕りを打ち払い、財を持たず、世間に執着しないのがりっぱである。昔から賢い人で富んでいたという例は、はなはだ少ない。」（徒然草・第一八段　佐藤春夫訳）。

どうだろう。この一節は質素倹約を旨として堅実な人生を歩むことを唱道する。読者は、ここから、ある有名な政治家の人生哲学を連想しないだろうか。松平定信（一七五九〜一八二九）である。松平定信が老中となって幕政の改革を担うことになったのは一七八七年、満二八歳の時であった。老中に就任した定信は財政再建と綱紀粛正を双璧とする改革を推し進める。これが、いわゆる寛政の改革である。

定信は、六年間、幕政再建のために力を尽くす。その後、一七九三年に老中を罷免されて幕政から離れた松平定信は、本来の領地である奥州、白河に帰郷し、ふたたび藩政に没頭する。完全に政務から解放されたのではないが、この頃になると時間的余裕が出て趣味の学問的研究に取り組み始める。

五〇歳台に入って間もなく藩政を子息に譲り引退すると、いよいよ本格的に著作に没頭する。そして、満七〇歳で死去するまでの二〇年近い年月の間に膨大な著作が生み出される。その中で一般に知られているのが自伝、宇下人言（うげのひとこと）と随筆、花月草紙である。

しかし、彼には隠れた著作があった。それが、この徒然草であると私は考えた。徒然草は松平定信が、はるか昔の人になりきって書き上げた。一八二〇年頃、彼は五〇〇年も昔に生きた人物のイメージを描きながら随筆を書き綴った。

以上のように推理は完成した。しかし、もう一つしっくり来ない。花月草紙と読み比べても、その文体、思考様式ともに食い違いが多いように思えた。そうすると徒然草の作者が松平定信とする仮定そのものが間違っているように思えてきた。

そこで一八世紀の文化人の中に徒然草の真の作者を求めて行くと、その最適の候補者は国学の大成者、本居宣長（一七三〇～一八〇一）であろうと思えた。宣長の本業は医者であるから徒然草の作者は薬草に詳しいという条件にも合致する。徒然草第二二段には「なに事も、古き世のみぞしたはしき」とある。これなどは本居宣長の根本思想を表明した文と解せる。これで、さらに洗練された推理が完成した。

ところが宣長の主著、玉勝間には徒然草の美意識を批判した一節があった。そうなると徒然草の作者を宣長とする推理は崩れる。玉勝間の一節は徒然草の一三七段が「花は満開だけが月は満月だけが良いのではない」と述べたのに噛み付く。それは批判にならない言いがかりのようなもので、宣長の徒然草に対する異様なほどの敵意を感じる。そうなると徒然草の作者は宣長の論敵の中から探さねばならない。

宣長の論争相手というと上田秋成と藤貞幹（とうていかん）であるから徒然草の作者はこの二人のうちのどちらかということになる。この点に気が付くと答えは見つかる。宣長も徒然草の作者が誰なのか知っていた。知っていたからこそ攻撃した。

徒然草は、その第一五二段から三段続けて日野資朝（すけとも）という鎌倉末期の公卿に論及する。そこから徒然草の作者は日野氏の出である藤貞幹（一七三二〜一七九七）であるという結論が導かれる。

この人物については「2」で太平記の作者として紹介した。徒然草の作者が藤貞幹であったとなると、この人物の資質について改めて見直さねばならない。マルチな才能を持つとされる藤貞幹は深みのある文章を書く能力も備えていた。

この第1部では多数の日本古典について真の作者を割り出すことができた。しかし、一度で真の作者にたどり着くことはまれで、三人目あるいは四人目の候補者でようやく真の作者を明らかにできたというケースが多い。古典の作者探しは難しい。

第2部　西洋古典誕生の謎を解く

年表２　西洋古典の歴史

西暦	出来事
1417	ルクレティウス『事物の本性について』、発見される（伝承）
1469	マキャベリ、エラスムス、誕生
1495	ベネチアにおいてアルド書店設立
1504	アルド書店、ホメロス全集刊行
1513	マキャベリ、政界を引退し別荘に籠る
1518	マンドラーゴラ初演、好評を博す
1527	マキャベリ、死去
1532	『君主論』刊行
1564	ウィリアム・シェイクスピア、誕生
1572	ジョン・ダン、誕生
1593	クリストファー・マーロウ、刺殺される
1599	宮内大臣一座、本拠をシアター座からグローブ座に移す
1611	ダン、大陸旅行に出発
1615	ダン、国教会の説教師になる
1623	最初のシェイクスピア全集（ファースト・フォリオ）刊行
1631	ダン、死去
1694	ヴォルテール、誕生
1734	ヴォルテール、『哲学書簡』刊行
1755	ヴォルテール、ジュネーヴ郊外に定住
1760	ヴォルテール、フェルネーに本拠を移す
1778	ヴォルテール、死去
1791	サド、『ジュスティーヌあるいは美徳の不幸』刊行
1798	カサノバ、死去
1799	ボーマルシェ、死去
1812	サド、死去

図表4　ホメロス二大叙事詩の基本構造

イリアス

Ⅰ	1 2	○ ○
Ⅱ	3 4 5 6 7	○ ○ ○ ○ ○
Ⅲ	8 9 10	○ ○ ●
Ⅳ	11 12 13 14 15 16 17 18	○ ○ ○ ○ ○ ○ ○ ○
Ⅴ	19 20 21 22	○ ○ ○ ○
Ⅵ	23 24	● ●

オデュッセイア

Ⅰ	1 2 3 4	● ● ● ●
Ⅱ	5 6 7 8	○ ○ ○ ○
Ⅲ	9 10 11 12	○ ● ● ●
Ⅳ	13 14 15 16 17 18	○ ○ ○ ○ ○ ●
Ⅴ	19 20 21 22 23	○ ○ ○ ○ ○
Ⅵ	24	●

○は真作を●は偽作を示す。

図表5　シェイクスピア戯曲推定成立年代

1	ヘンリー六世・第一部	1591	19	ジュリアス・シーザー	1599
2	ヘンリー六世・第二部	1591	20	お気に召すまま	1599
3	ヘンリー六世・第三部	1591	21	十二夜	1600
4	リチャード三世	1592	22	ウィンザーの陽気な女房たち	1600
5	間違いの喜劇	1592	23	ハムレット	1601
6	タイタス・アンドロニカス	1593	24	トロイラスとクレシダ	1601
7	じゃじゃ馬ならし	1593	25	終りよければすべてよし	1603
8	ベローナの二紳士	1594	26	尺には尺を	1604
9	恋の骨折り損	1594	27	オセロ	1604
10	ロミオとジュリエット	1595	28	リア王	1605
11	リチャード二世	1595	29	マクベス	1606
12	ジョン王	1595	30	アントニーとクレオパトラ	1607
13	真夏の夜の夢	1596	31	コリオレイナス	1607
14	ヴェニスの商人	1596	32	アテネのタイモン	1607
15	ヘンリー四世・第一部	1597	33	ペリクリーズ	1608
16	ヘンリー四世・第二部	1597	34	シンベリン	1609
17	空騒ぎ	1598	35	冬物語	1610
18	ヘンリー五世	1598	36	テンペスト	1611

第5章　ゆらぐルネサンス像

1．ルクレティウスの再発見

一四一七年、イタリア人ポッジョ・ブラッチョリーニ（一三八〇〜一四五九）がドイツの修道院において『事物の本性について』の写本を発見した。一五世紀初頭におけるルクレティウスの再発見はルネサンスの到来を告げる。

ルクレティウスの著作は長い間、行方不明で、ほとんど忘却されかかっていた。しかし、一五世紀以降、ルクレティウスは再び脚光を浴びる。それはまた、その後、延々と続く古典再発見運動の嚆矢となる。

ポッジョ・ブラッチョリーニという人は貧しい境遇から身を起こしローマ教皇庁に書記官として採用された。やがて彼は教皇秘書官の地位にまで上り詰める。こうした栄進が可能になったのは彼がたぐいまれな学識と事務処理能力の持ち主であったからである。さらに彼は正確で美しい筆写の才能でも有名であった。

しかし、一四一五年、順風満帆に思えた彼の人生に異変が生じる。教会大分裂を解消すべく開催されていたコンスタンツの公会議において、彼が仕えていた教皇が退位に追い込まれた。そうすると必然的に教皇に仕えていたポッジョもまた失職することになる。

けれども、この失職は彼にとっても人類にとっても良い方向に作用した。古典のブックハンターに転職した彼がルクレティウスの再発見という贈り物を人類にもたらすことになるからである。

ポッジョはフランス東部のクリュニー修道院、スイス北東部のザンクト・ガレン修道院、ドイツ南部のフルダ修道院などを巡り歩いた。はっきりした記録が残っているわけではないが、彼がルクレティウスの写本を発見したのは、このフルダ修道院であったと考えられている（小池澄夫・瀬口昌久著『書物誕生　ルクレティウス』九三頁参照）。

ルクレティウスは紀元前一世紀に実在したとされるローマ人である。彼は、その信奉するエピクロスの哲学と宇宙論を、主著『事物の本性について』においてヘクサメトロスという詩形のラテン語で表現した。ヘクサメトロスという詩形は一行六つの韻脚で構成される。

古典ギリシア語とラテン語の韻文は長音と短音を交互に規則正しく配置することにより独特のリズム感を生み出す。古典ギリシア語とラテン語は共に長母音と短母音がはっきりしているから、そのような技巧を行使できる。

ヘクサメトロスにおいては長短短の韻脚が基本となる。しかし、長短短格の代わりに長長格を用いることが許される場合もある。その他、もろもろの規則を勘案してヘクサメトロスの基本形を図示すると次のようになる。長は長音、短は短音を、「○」は長音一つと短音二つを選択できる場合を、「|」は韻脚の区切りを示す。

長○|長○|長○|長○|長短短|長長

ラテン語のヘクサメトロスも基本はギリシア語の場合と同一である。ウェルギリウスのアエネイスはその典型ということになる。ルクレティウスも、それを手本に『事物の本性について』を執筆した。

しかし、ラテン語のヘクサメトロスはギリシア語のヘクサメトロスに比べると潤いに乏しい。ホメロスの例を考えればわかるようにギリシア語のヘクサメトロスは歌うような韻律を醸し出す。それに比べるとラテン語のヘクサメトロスは散文的で平板である。もともとラテン語のヘクサメトロスはギリシア語のヘクサメトロスの模倣から始まったのであるから、それもやむを得ないのかも知れない。

ルクレティウスは死後の世界は存在しないから死後の罰など恐れる必要はないと説いた。また、彼は説明できない自然現象を見て恐れおののいた人々が、そこに神の介入を見出したと考えた。ここまで行くとほとんど無神論に近くなる。

こうしたラディカルな思想を表現したルクレティウスの主著『事物の本性について』は古代・中世の一四〇〇年の時を経るにつれて表舞台から退き、人々の記憶から消えかかっていた。そうしたところへ一四一七年、ポッジョ・ブラッチョリーニによる写本発見の報がヨーロッパの知識界にもたらされた。知識人たちの驚きの声は、やがて歓喜の声に変わる。

ポッジョは発見した写本を筆写し、そこから彼の友人がさらに筆写する。一五世紀を通じて、このような筆写作業が続けられ多数の写本が造られた。そして一四七三年以降、開発されたばかりの印刷術を使って活字本が刊行され始める。

『事物の本性について』は、そのラディカルな内容からすると不思議なことに教会全体の禁書目録に加えられることはなかった。単に一部の教会が付属図書館での閲覧を禁止するなどの措置を講じたにすぎない。そのため知識人たちの間に迅速に浸透した。ルクレティウスの愛読者としてとりわけ有名なのはモンテーニュで、彼は主著『エセー』に幾度となくルクレティウスの言葉を引用している。

2. ギリシア・ローマの古典はいつ書かれたのか

ここまではルクレティウスの再発見について一般に伝えられている情報である。しかし、私の前著『世界の真実』の読者なら、ここで根本的な疑問を抱いたであろう。一五〇〇年以前の世界は基本的には「歴史の断層線」の向こう側であり、伝えられている情報は単なる伝説にすぎない。

ギリシア人あるいはローマ人という民族のルーツ自体が、これまで信じられていたものとは、全然、ちがっていた。ギリシア・ローマの古典古代文明なるものも一般に考えられているよりも、はるか後に発達した。したがって、ギリシア語あるいはラテン語で書かれた作品も近代近くになって書かれたことになる。

ジャンルの如何を問わずラテン語の著作群が書かれたのは一五世紀の一〇〇年間であったと推定される。叙事詩アエネイス、ホラティウスやオウィディウスの詩、リウィウスやタキトゥスの歴史書、そしてキケロやセネカの哲学書など主なラテン語著作は、この一五世紀の一〇〇年間に書かれた。

ルクレティウスの『事物の本性について』も例外ではない。いつ誰が書いたのか、正確に推定することはできない。しかし、一四一七年に、その写本を発見したとされるポッジョ・ブラッチョリーニにより書かれた可能性もある。もし、そうだとするとポッジョは写本の発見者ではなく、そのオリジナルの著者であったことになる。

一五世紀初頭に実在したとされるポッジョ・ブラッチョリーニなる人物も、ほんとうは伝説上の人物にすぎず、仮に実在したとしても伝承通りの行動をしたのか今となっては確かめようがない。しかし、この人物が実在し『事物の本性について』という本を執筆していたと推定するのも面白い。

これに先立ち、一四世紀のイタリアにはペトラルカ、ボッカチオの二大文豪が現れ文学が隆盛を極めたとされる。しかし、実際には、この頃には、まだラテン語によるものにせよ近代イタリア語（トスカナ語）によるものにせよ本格的な文芸作品の著作は行われていなかった。ボッカチオが近代イタリア語で書いたとされていたデカメロンが、本当は、いつ、誰によって書かれたのかは第8章で明らかにする。

一四世紀の段階では近代イタリア語によるものは言うに及ばず、ラテン語による本格的な著作もなされていなかった。一五世紀にラテン語による著作が本格化し一六世紀を迎える頃に近代イタリア語による著作が急激に発達する。

一方、ギリシア古典についても事情は類似する。ギリシア語の古典はラテン語の古典より早く書かれ始めたと考えがちである。しかし、実際にはギリシア古典もラテン古典と並行して書かれることが多かった。プラトンやアリストテレスの哲学書、ホメロスの二大叙事詩、ヘロドトスの歴史書など膨大な著作が一五世紀に集中して書かれた。一部の著作は一四世紀に書かれていたが、それは例外である。

プラトンが実在しない架空の人物であったとなると、その著作に主役として登場するソクラテスもまた実在しない架空の人物ということになる。ソクラテスは喜劇作家アリストパネスが『雲』という作品の中で創作した人物である。しかも、それは、別段、秘密でもない。なぜ劇作家が創作した架空の人物が哲学史上、最も有名な人物に祭り上げられてしまったのか、むしろ、そのことこそが不思議である。

むしろギリシア古典がラテン古典より後に書かれたケースもあった。プルタルコスの対比列伝など一部の書物は一六世紀に入ってから書かれた。このギリシア古典の成立にあたっては、いわゆるビザンツ帝国から渡来したギリシア人が主役を務めた。

一五世紀の半ば近くになるとビザンツ帝国はオスマントルコの圧迫により風前の灯火となる。そこで財産も教養もある人々は傾きかけた帝国に見切りをつけ海路、西を目指しシチリア島やイタリア半島に亡命する。そして彼らは上陸した各地にコミュニティーを造る。その中でベネチアとシチリア島のコミュニティーはとりわけ強固であった。

ホメロスの二大叙事詩、ことにオデュッセイアにはシチリアの風土が反映されている。したがってオデュッセイアは、一五世紀の後半、シチリア島で書かれた可能性が高い。イリアスとオデュッセイアが同じ作者の作とするとイリアスもまたシチリアで書かれたことになる。ホメロスの二大叙事詩の作者については次の章で論じる。

文化史上のギリシア・ローマの古典古代などというものは一種の幻想にすぎない。ギリシア・ローマの古典の大多数が書かれた一五世紀はルネサンス初期に該当する。結局、文化史におけるギリシア・ローマの古典古代という時代区分はルネサンス初期の別名ということになる。

3. 古典の集大成：エラスムスはギリシア人

このようにして書かれたギリシア語とラテン語の古典は一五世紀の終り頃から印刷された書物として刊行されるようになる。一四九五年のベネチアにおけるアルド書店の設立は印刷文化成立の象徴と言える。他にもフィレンツェのジュンティ書店、バーゼルのフローベン書店などが同時期に設立された出版業者として名高い。

一五世紀の半ばに活版印刷術が発明されると、印刷された書物が流通し始める。一般に活版印刷術はドイツ（神聖ローマ帝国）のヨハネス・グーテンベルク（一三九八頃〜一四六八）が発明したとされている。しかし、このグーテンベルクなる人物は単なる伝説上の存在にすぎない。そもそも活版印刷術は多数の技術革新を集成した総合技術体系である。したがって、どこの誰が発明したかという思考になじまない。

出現期の書物は判型が大きいうえに活字も読みにくく決して読者に親切なものではなかった。しかし、一五世紀も終り頃になると書物の形態は急激に洗練されて行き現代人が書物という言葉から受けるイメージ通りの物に近づく。とりわけ一五〇〇年を挟んだ二〇年間の出版業の発達ぶりは目覚ましかった。

この二〇年間で書物の形態はまるで別の物のようになる。まず、判型が小型化し手に持ちやすくなる。ページの下にノンブル（ページを表示する数字）が付く。そして何より活字のデザインが洗練されて読みやすくなる。

有体物としての書物の形態が発達する一方、その価格は相対的に低下した。一度に発行する部数が増大したことが価格を低下させた。価格そのものは高額で一般人にはなかなか手が出ないのは以前と同じである。しかし、それでも上層市民には手が届く価格となり書物は王侯貴族の独占物ではなくなった。

この出版業界刷新に最大の貢献をしたのがアルド・マヌーツィオ（アルドゥス・マヌ

ティウス）という人物である（アレッサンドロ・マルツォ・マーニョ著・清水由貴子訳『初めて書籍を作った男』参照）。

一六世紀に入ると出版人と文化人が手を携えて主に古典の出版を実現する。その結果、多数の書物が流通するようになり書物の市場が確立する。この頃の出版人を代表するのがアルド・マヌーツィオ（一四五二頃～一五一五）なら、文化人を代表するのはデシデリウス・エラスムス（一四六九～一五三六）である。

ギリシア古典の執筆において主役を務めたのは亡命ギリシア人であった。その亡命ギリシア人の中でも最も学識が高かったのが、このエラスムスである。これまで彼は、その出生地がオランダのロッテルダムであることから漠然とオランダ人と考えられていた。しかし、実際には亡命ギリシア人の二世である。

エラスムスの父親は一五世紀の中頃、滅び行くビザンツ帝国に見切りをつけ西ヨーロッパのオランダに亡命して来た。エラスムスは聖職者の私生児などとされている。けれども、これも事実ではあるまい。

エラスムスがギリシア系であることは、その名前からもわかる。ギリシア語でギリシアはヘラスと呼ぶ。エラスムスは初めのうちギリシア系の出自を表すヘラスムスという名を名乗っていたのであるが、後に冒頭の「h」を略しエラスムスと名乗るようになった。

そうするとエラスムスの母国語はギリシア語ということになる。彼は外国語としてギリシア語を学び刻苦勉励の末、ギリシア語の達人となったと考えられているのであるが、それは事実ではない。彼は子供の頃からギリシア語を母国語として育った。

青年期までオランダで過ごしているのでオランダ語も少しは使えた。しかし、エラスムスがオランダ語を公式な場で使用した記録はほとんど残っていない。おそらく彼はオランダ語は日常生活において最低限、必要な場面で時折、使用したにとどまる。

壮年期にイングランドで過ごした時にも英語は話さず、もっぱらフランス語で意思疎通をした。イングランドの宮廷では当時、英語よりもフランス語の方が高級な言語と考えられておりフランス語が話せるなら、ことさら英語を学ぶ必要はなかった。

結局、エラスムスは俗語としては主にフランス語を用い、故郷に帰った際に、まれに日常生活の必要に迫られてオランダ語を話した。周知のように彼の古典語の学識はヨーロッパ随一であった。しかし、ギリシア語は母国語であり外国語として習得したのではない。

一六世紀の初頭、出版文化の興隆と歩調を合わせてギリシア・ローマ古典の集大成が達成される。しかし、その結果、読書人たちは、現在、自分たちは一千年前あるいは二千年前に書かれた古典を読んでいるという幻想を抱くことになる。

一六世紀初頭の古典の集大成は出版人と文化人の共同作業により成し遂げられた。また、この頃の出版人は同時に自らが文化人であり、他の文化人のパトロンでもあった。ベネチアのアルド・マヌーツィオ、バーゼルのヨハネス・フローベンなどが出版文化人の代表例ということになる。

バーゼルのヨハネス・フローベンとエラスムスの長年にわたる交流も名高い。この二人の友情溢れる交流は後世のわれわれをも感動させる。エラスムスの実り多い知識人人生の背後にはフローベンのような篤実な出版人の物心両面にわたる支援があった。

以上の考察で読者のルネサンス像は大いに揺らいだことと思う。われわれがルネサンスに抱いていた一千年前や二千年前に創造された古典の再発見運動というイメージは覆される。ギリシア・ローマの古典は再発見されたのではない。それは一五世紀の一〇〇年間に集中的に創作された。ルネサンスは古典の再発見運動ではなく古典の形式を借りた新たな文化の創造運動であった。

第6章 ホメロス二大叙事詩の謎に迫る

1. ホメロス二大叙事詩の作者

一五〇四年、ベネチアのアルド書店から八折版のホメロス全集が刊行された。したがって、遅くとも、この数年前までにはホメロスの二代叙事詩が完成していた。ホメロスの二大叙事詩は一五世紀に創作された。

一五世紀のイタリア半島やシチリア島では東ローマから亡命して来たギリシア系知識人がさかんに活動していた。二大叙事詩の作者、ホメロスもこれらの知識人群の中の誰かであった可能性が高い。

したがって、これらの知識人の一人一人を当たって行けばホメロスが誰か突き止めることができると読者は考えるのではないだろうか。私も、そう考えて一五世紀のイタリア半島やシチリア島で行動したギリシア系知識人について、あれこれ調べたことがあった。

しかし、これらの試みは結局、徒労に終る。なぜなら、一五世紀は「歴史の断層線」の向こう側であり、そこで行動している人物も伝説上の人物ということになるからである。具体的な人物をホメロスの候補者として名を挙げても、その人物は伝説上の人物にすぎない。彼は何らの実体を持つものではない。

世界二大文豪、紫式部とシェイクスピアにホメロスを加えて世界三大文豪と呼ぶこともできる。このうち紫式部については第1章でその正体が下河辺長流であることを明らかにした。シェイクスピアについても、この後に続く第9章で解答を示した。しかし、ホメロスについては具体的な人名を挙げることはできない。

ホメロスの二大叙事詩については一七九五年にドイツのF・A・ヴォルフ（一七五九～一八二四）という学者が『ホメロス序説』という書物を刊行して以来、二〇〇年間にわたって分析論と統一論のどちらが正しいのかという形で論争が続いている。

分析論は二大叙事詩の各部位の間に存する差異を詳細に分析したうえで、そこに複数の作者の存在を見出す。そして二大叙事詩は、この複数の作者たちにより、ゆっくり時間をかけて形成されたと考える。それに対して統一論は、あくまでホメロスと呼ばれる一人の作者により創作されたと考える。

二大叙事詩の成立に関するこれら二つの流派の争いについては、筆者の見解は、いわゆる統一論に属する。ホメロス名義の叙事詩が一五世紀のイタリア半島あるいはシチリア島に生存したギリシア系亡命者により書かれたという事実は動かしがたいように思える。

両作品の成立時期については、これまでは当然のようにイリアスが先に書かれ、その後にオデュッセイアが書かれたと考えられていた。しかし、これはストーリー展開に惑わされた考えである。ストーリーの上ではイリアスでイリオンの攻防戦が描かれ、オデュッセイアでオデュッセウスの漂流と帰還が描かれるという展開なのであるが、それと作品の執筆順序は別問題である。

二つの作品の内容を比較するならばオデュッセイアが青年期の作品でイリアスが円熟期の作品であるという印象を受ける。この二大叙事詩は、そのストーリーとは逆にオデュッセイアが先に書かれ、それに続いてイリアスが書かれたと推定される。

各二四巻に編成されたホメロスの二大叙事詩において、イリアスの場合は最後の二巻、オデュッセイアの場合は最後の一巻が後世に付加された一種の偽作とする説が有力である。特にイリアスの場合、それまで好戦思想とも評せる思想が支配的であったのが、最後の二巻で突然、宗教的な人道思想が支配するようになり読む者に違和感を抱かせる。

イリアスの最後の二巻、オデュッセイアの最後の一巻をいつ誰が付加したのかというと、それは一六世紀初頭、全集の編集者が付加した可能性が考えられる。アルド書店の経営者、アルド・マヌーツィオはギリシア語教師でもあったので自ら筆を執って加筆したということもあり得る。

あるいは加筆を担当したのはエラスムスであったということもあり得る。特にイリアスの場合、最後の二巻に漂うキリスト教的な雰囲気からすると、その部分を書いたのはエラスムスであった可能性は高い。この推論が正しいとするとギリシア古典集大成の立役者エラスムスはホメロス二大叙事詩の最終稿を完成した人物でもあったことになる。

エラスムスは一五〇六年九月から一五〇九年八月までの丸三年もの間、北イタリアに滞在した。彼はトリノ、ボローニャ、フィレンツェ、ベネチアと北イタリア諸都市を回り、各地の文化人との親交を深めた。しかし、一番長く滞在したのはベネチアである。

エラスムスはベネチアに長期滞在しアルド書店に頻繁に顔を出す。彼はアルド書店の印刷所に連日のように通い自らの著書や訳書が円滑に出版されるように細かく指示を出していた。エラスムスは執筆のみならず出版にも情熱を注いだ。

このような事情を考え合わせるならばアルド書店版ホメロス全集がエラスムスの主導で刊行された可能性は、ますます高まる。イリアスとオデュッセイアはエラスムスが監修し各二四巻にまとめて刊行されたというのが真相であろう。

しかし、ここで困ったことが起きる。刊行年代が合わないのだ。アルド書店版ホメロス全集が初めて刊行されたのは一五〇四年とされている。けれども、この時点ではエラスムスは、まだイタリアを訪れていない。

この点については実際の刊行年は一五一〇年頃であったと考えれば問題は解決する。この頃は刊行年を数年、さかのぼらせることは時折、見られた。この場合もエラスムスが一五〇八年にベネチアのアルド書店に滞在してホメロス全集を監修し、一五一〇年に刊行されたといったところが真相なのではないだろうか。

ホメロス二大叙事詩は一五世紀に亡命ギリシア人によって書かれた。さらにエラスムスが現在、われわれが目にしているような各二四巻に編纂し、一六世紀初頭にアルド書店から刊行された。そうなると二大叙事詩が文盲の吟遊詩人によって伝承されたとする説、あるいはホメロス自身が盲目の吟遊詩人だったとする説は、いずれも誤りということになる。

2. イリアスにおける偽作の混入

続いてホメロスの二大叙事詩の構成を分析する。その際、両作品に混入した偽作の問題を重点的に考察する。まず、イリアスから着手する。

ホメロスはイリアスにおいてトロイア戦争の全貌を描いたのではなく、その終末近くの約五〇日間の出来事を扱う。イリアスにおいてはトロイアの王子パリスに誘惑されて連れ去られた美女、ヘレネーを奪還するため全ギリシアが遠征軍を組織したと想定されている。

イリアスの二四歌は六つの部に分かれる（図表4「ホメロス二大叙事詩の基本構造」参照）。まず第一部（第一歌と第二歌）が全体のプロローグになる。

次に第二部（第三歌から第七歌まで）が戦闘第一日目を、第三部（第八歌から第一〇歌まで）が戦闘第二日目を、第四部（一一歌から一八歌まで）が戦闘第三日目を、第五部（第一九歌から第二二歌まで）が戦闘第四日目を描写する。

この第三歌から第二二歌までの合計二〇歌が本篇を構成し、最後に第六部の第二三歌と第二四歌が全体のエピローグになる。

イリアスは一〇年間続いたトロイア戦争の最後の年における四日間の戦闘に焦点を絞る。そこではギリシア方ではアガメムノン、メネラオス、アキレウス、オデュッセウス、パトロクロス、アイアス、トロイア方ではヘクトル、パリス、アイネイアスといった英雄たちが死闘を繰り広げる。

イリアスは「怒りを歌え女神よ、ペレウスの息子アキレウスの怒りを」という有名な一節から始まる。これは全篇のライトモチーフを冒頭に提示したもので、巧みな構成と評せる。このアキレウスの怒りは全軍の総帥アガメムノンに向けられたもので、つむじを曲げたアキレウスが戦線を離脱したせいでギリシア軍は予想外の苦境に立たされる。

このように冒頭の第一部において全篇のライトモチーフが示された。しかし、ここでさっそく偽作の問題が浮かび上がる。第二歌の末尾、その四八四行以下の、いわゆる「軍船表」が、それである。これは当時の地勢に関する情報を含んだ貴重なものと評されることが多い。けれども、偽作は偽作なのであるから削除するのが望ましい。

いよいよ第二部から戦闘場面に移る。このイリアスは神々が戦闘に介入して来る点において、現代人が慣れ親しんでいる戦記物語と根本的に異なる。オリンポスの神々はギリシアびいきの神はギリシアに加担し、トロイアびいきの神はトロイアに加担する。かくして戦局は神々の意向により二転三転することになる。

このように神々が自らの意思により介入するといっても、彼らはゼウスという最高神により制御されているので好きなように行動できるのではない。しかし、オリンポスの神々はゼウスの目を盗んで細工を加えるので人間界には色々と面白いことが起きる。さらにゼウス自身が他の神々や人間たちをどう扱うべきか迷っているようなところがあり、それが読み手の感興を引き起こす。

戦闘二日目を扱う第三部は本篇を構成する四部のうちで一番短く、全体の間奏曲という印象が強い。しかも、この第八歌から第一〇歌までの三歌のうち第一〇歌は偽作と考えられるので、それを削除するとさらに短くなる。

第四部は戦闘三日目を延々と歌う。戦闘はここで最初の山場を迎え、アキレウスの親友、パトロクロスが戦死する。ヘクトルによりパトロクロスが討ち取られたことを知ったアキレウスは報復を誓い、再び戦場に立つことを決意する。

戦闘四日目を描写する第五部は長さこそあまり長くないものの全体の山場を構成する。本篇の掉尾を飾る第二二歌においてアキレウスはヘクトルを討ち取り、その遺体を戦車に括り付けて引き回す。ヘクトルの妻、アンドロマケーが悲嘆に暮れるところで本篇は幕を閉じる。

問題はその後である。現在われわれが読んでいる本文では第二三歌でパトロクロスを追悼するための競技会が行われ、続く第二四歌でヘクトルの父君、プリアモスがアキレウスの陣営を訪れ遺体を引き取るという構成なのであるが、このエピローグを構成する二歌は偽作の疑いが濃い。

第二二歌で終るのと第二四歌で終るのとでは全体の読後感が、がらりと変わる。したがって、エピローグの二作が偽作であるか真作であるかは重大な問題となる。この二歌のうち第二四歌は交戦当事者の和解を描いた感動的な個所との評価が高い。しかし、それは誤解であろう。

私には単に読後の印象を散漫にするだけの「蛇足」にすぎないように思える。アンドロマケーが悲嘆に暮れる場面を描写した第二二歌のラストで終了したほうが、はるかにすっきりした読後感を得ることができる。

さんざん殺戮合戦を繰り広げさせた後で涙の和解に至らせるなどというのは自家撞着であり、あまりホメロスらしくない。この部分を加筆したのが、たとえ大文化人、エラスムスであったとしても、やはり加筆を支持することはできない。第二三歌と第二四歌は、二つまとめて削除するのが望ましい。

3. オデュッセイアにおける偽作の混入

ヘクトルの戦死によりホメロスのイリアスは幕を閉じる。しかし、トロイア戦争をめぐる伝説は続く。パリスはアポロンの介入により不死身の英雄、アキレウスを倒す。イリオンをめぐる攻防戦は、いよいよ大団円を迎え、ギリシア方は有名な木馬の計略によりイリオンを攻略する。

生き残った英雄たちは三々五々、故郷であるギリシアへと引き上げて行く。しかし、一人オデュッセウスだけは乗っていた船が難破し、帰還が遅れる。オデュッセウスの漂流は一〇年に及び、やがてゼウスの計らいにより帰還が許される。ホメロスの叙事詩、オデュッセイアは漂流一〇年にして帰還が許されるところから物語が始まる。

オデュッセイアの二四歌も六部に分かれる（図表4「ホメロス二大叙事詩の基本構造」参照）。まず、冒頭の第一部（第一歌から第四歌）は全体のプロローグであると同時に「テレマキア」と呼ばれる一つの独立した物語を構成する。

つぎの第二部（第五歌から第八歌）はオデュッセウスの漂流を描き、第三部（第九歌から第一二歌）はオデュッセウス自身がパイエケス人の宮廷で漂流中の回顧談を語る。

この第二部と第三部をまとめて「オデュッセウスの漂流譚」と呼ばれることが多い。続く二つの部は復讐譚を構成する。第四部（第一三歌から第一八歌）はオデュッセウスの帰還を、第五部（第一九歌から第二三歌）はその報復を描く。そして最後の第六部（第二四歌）がエピローグとなる。

ホメロスのオデュッセイアはオデュッセウスの漂流譚と復習譚という二つの異質な冒険譚を結合したダイナミックな物語である。しかし、その真の主役は二〇年の時の流れかも知れない。

オデュッセウスは一〇年間、イリオンで戦い、その後の一〇年間は漂流を続けた。その間、妻のペネロペイアは周囲の領主たちの強引な求婚をはねつけ、夫の帰還を待つ。これは一見すると妻の貞節を称賛するための物語のようにも読める。しかし、これは妻の夫に対する貞節といった限定された美徳を称賛するものではなく、人間の人間に対する誠意を称賛する意図の下に書かれた物語と解すべきである。

一方、出征するときには赤子であったテレマコスは、この二〇年間で立派な青年に成長していた。冒頭の第一部は、このテレマコスを主役とする。彼は父君の消息を調べるため各地の有力者を訪ねる。しかし、手掛かりは得られずイタケーへの帰還をはかるところで第一部は終了する。

この第一部の四歌については一九世紀から偽作の疑いが向けられている。おまけに、この四歌が存在するために全体の構成が散漫になった。実際、この四歌を削除し第五歌から始まるとした方が物語全体が、はるかにすっきりした展開になる。

第二部では漂流一〇年目を迎えたオデュッセウスは女神カリュプソの島で暮らしている。カリュプソはゼウスの命令により、しぶしぶオデュッセウスを筏で送り出す。パイエケス人の島に漂着したオデュッセウスは、その王、アルキノオスの歓待を受ける。ここまでが第二部、第八歌である。

第三部（第九歌から第一二歌）ではオデュッセウスが漂流譚を延々と語る。その内容は一つ目の巨人キュプロクス退治（第九歌）、魔女キルケー物語（第一〇歌）、冥府行（第一一歌）、セイレンの誘惑と太陽神の牛（第一二歌）とバラエティに富む。

しかし、第九歌でキュプロクス退治のスリル満点の物語を堪能した後、第一〇歌で急にトーンダウンし第一二歌まで平板な叙述が続く。第一〇歌から第一二歌までは偽作と考えて良い。ただし、第一二歌の末尾、部下たちが太陽神の牛を食べて、それが彼らの遭難死を招くというエピソードを述べた部分は真作であろう。

第四部（第一三歌から第一八歌）はオデュッセウスの帰還を歌う。初めのうちオデュッセウスは乞食に身をやつし、しばしの間、忍従しつつ報復計画を練る。しかし、第四部の末尾、第一八歌は偽作であろう。この第一八歌は本筋とは関係ない短い挿話にすぎない。しかも文章も粗雑で潤いに乏しい。

したがって、第一八歌は削除して差し支えない。しかし、その末尾の一文、「一同は（中略）、眠りに就くべく、各自、己（おの）が屋敷に向かって立ち去った（松平千秋訳）。」は真作で、第一七歌の末尾に続く。

第五部（第一九歌から第二三歌）は全体のクライマックスで求婚者の謀殺を歌う。第二二歌でオデュッセウスは正体を現し、大広間に閉じ込めた求婚者たちを弓で射殺し成敗する。その有様は、すさまじい迫力で読む者に迫る。そして第二三歌でオデュッセウスは愛妻、ペネロペイアに再会し二〇年ぶりに添い寝するべく寝室に向かうところで物語は大団円を迎える。

ところが、ここで例によってお節介な偽作者が顔を出し、求婚者たちの霊が冥界に行きアガメムノンの霊に会するなどという内容の第二四歌を加筆してしまったので話がこじれる。しかも詩文の出来栄えも冴えない。本来、オデュッセイアは第二三歌・二九六行で終了していた。したがって、その二九七行以下と第二四歌は削除すべきである。

第二三歌・二九六行は「二人は心楽しく、昔ながらの寝台のある場所へ歩み寄り」と途中で途切れる形になっている。しかし、それは、そのすぐ後の三〇〇行の「心ゆくばかり快い愛の交わりを楽しむと」と結合することになるので、結局、「二人は心楽しく、昔ながらの寝台のある場所へ歩み寄り、心ゆくばかり快い愛の交わりを楽しんだ。」というラストの一文を再現することができる（日本語訳については、ここでも岩波文庫・松平千秋訳を参照した）。

オデュッセイアのラストは、本来、このようにすっきりしたものであった。二種類のラストを読み比べるならば偽作者による加筆が、いかに原作の味わいを損なっているのか理解できる。

結局、オデュッセイア全二四歌のうち九歌が偽作であることが判明した。これは全体の三分の一以上にあたる。イリアスの場合、全二四歌のうち三歌が偽作であるのと比べても比率が大きい。しかし、いずれの場合もラストに余計な一節が付加されたため全体の味わいを削いでいるという点では共通する。偽作部分を削除した新しいヴァージョンの刊行が待たれる。

第7章　レオナルド・ダ・ヴィンチ：その実体はガリレオ・ガリレイ

1．謎に包まれた天才：レオナルド・ダ・ヴィンチ

科学、文学、美術と各分野において人類は定期的に天才を生み出す。まれにしか出現しないからこそ天才は天才と呼ばれる。しかし、人類が長期間に渡って生み出した天才のすべてを合算すると相当の数に上る。けれども、各分野を横断する万能の天才というとレオナルド・ダ・ヴィンチ（一四五二〜一五一九）の名ぐらいしか思い浮かばない。

そもそも天才性と万能性は相容れない性質を持つ。ある分野に天才的な能力を有する人物は他の分野がおろそかになる。その典型例として物理学者のアルバート・アインシュタインの名を挙げることができる。彼は物理学の天才として名をとどろかせた。しかし、それと同時に、文科系の分野における能力の平凡さでも有名である。

アインシュタインの大脳は、その全体がよく発達していた。けれども、彼の場合、

物理学に力を注ぎすぎた結果、大脳中の血流まで科学的思考に必要な部分のみに集中した。他の分野には血液が充分に送り込まれなくなり栄養とエネルギーが不足する。かくして物理学の天才にして文科系の凡才というわれわれが良く親しんでいるアインシュタインという人物が出来上がる。

科学の分野における天才がアインシュタインなら芸術の分野における天才はレオナルド・ダ・ヴィンチということになる。しかも、このレオナルドは自然科学における先端的知見を含む手稿を残したので万能の天才とも呼ばれる。

しかし、われわれは、このレオナルド・ダ・ヴィンチという人物についてどれほどのことを知っているのだろうか。この人物の姓すら知られていない。ダ・ヴィンチというのは正式な姓ではない。貴族の場合は領地の名を姓とすることが多い。けれども、彼の場合は姓が不明なので生まれたとされる村の名を借りてダ・ヴィンチとしているにすぎない。

なにしろ五〇〇年も前の人のことであるから、その存在そのものが謎に包まれているのも無理はない。その人生行路の大筋をたどることができるのはジョルジョ・ヴァザーリが評伝を書き遺しておいてくれたからである。

ジョルジョ・ヴァザーリ（一五一一〜一五七四）はミケランジェロの弟子にあたる画家で、レオナルドの半世紀ほど後の世を生きた。ヴァザーリの『画家・彫刻家・建築家列伝』は初版が一五五〇年に、増補第二版が一五六八年に出版された。この本はルネサンス美術史の基本資料とされている。

レオナルド・ダ・ヴィンチは一四五二年、フィレンツェ近郊のヴィンチ村に私生児として生まれた。その後、青年期と壮年期をフィレンツェとミラノで過ごす。一五一六年、六四歳のときにフランス王に招かれフランス中央部、ロアール河畔の町、アンボワーズに移住し、三年後の一五一九年、六七歳で世を去る。

このようにレオナルドの人生の大筋は判明している。しかし、ことによると、それも怪しくなるかも知れない。なぜかというと、唯一の基本資料とされるヴァザーリの評伝が後世の創作である可能性が高いからである。

ヴァザーリの『評伝』は、表向きの執筆年代より、はるか後の人が中堅クラスの画家、ジョルジョ・ヴァザーリの名を借りて出版したものと推定される。つまり、一種の偽書ということになる。

しかし、まるっきり史料価値がないかというとそうとも言い切れない。作者は、その時点で入手可能な情報から信憑性の高いものを取捨選択し評伝を作り上げた。けれども、ことレオナルド・ダ・ヴィンチに関しては、これでますます実像がぼやけてしまったことは否定できない。

われわれの前にはレオナルドが制作したとされる十指に余る絵画が遺された。そのうちのいくつかは疑いもなく絵画史の頂点に位置する傑作である。どの作品をレオナルドの真作と解するかは争いがあるが、最も一般的な基準による真作を制作年代順に並べると次のようになる。

受胎告知、カーネーションの聖母、ブノワの聖母子、ジネブラ・デ・ベンチの肖像、聖ヒエロニムス、東方三博士の礼拝、岩窟の聖母、白貂を抱く貴婦人、ラ・ベル・フェロニエール、最後の晩餐、モナ・リザ、聖アンナと聖母子、洗礼者ヨハネ、以上の一三点である（池上英洋監修・ペン編集部編『ダ・ヴィンチ全作品・全解剖』参照）。

ちなみにフェロニエールとはフランス語で装身具という意味で、ここでは細長い金細工の髪飾りを指す。

　有名な糸巻きの聖母が、この真作リストから外れていることに違和感を抱いた人も多いと思う。この糸巻きの聖母の二つのヴァージョンはどちらもレオナルドが主催する工房で共同制作された作品であることが真作リストから外される理由である。しかし、全体の構図を定めたのはレオナルドで、一番肝心の仕上げの部分では自ら筆を執ったと思われるので、これも真作リストに加えて良いと思う。そうするとレオナルドの真作は一四点ということになる。

　これまでも新たな真作の候補としていくつもの作品が現れては消えて行った。そうした中、近年、世界中の話題を集める作品が出現した。青いローブをまとい左手に水晶球を持つイエス像、サルバトール・ムンディが、それである。

　この肖像画は一五〇〇年頃に描かれたと推定され、その後、一八世紀の半ば以降、行方不明になっていた。それが一九五八年、突然、オークションに現れた。最初のうちは単なる模写として低額で取引されていたのが、二〇一三年、ロンドンのサザビーズ・オークションあたりから突然、高値が付くようになった。

そして二〇一七年、ニューヨークのクリスティーズ・オークションで美術品の落札額として史上、最高額を記録する。これは世界中で話題となったので美術に興味のない人も記憶に残っているのではないだろうか。

ここで問題となるのは、やはり何と言っても、この作品がレオナルドの真作であるか否かである。この点について私は、これはレオナルドの真作ではなく他の有名画家の作と考えていた。

しかし、近時、考えが変わり、これはレオナルドの真作と判断するに至った。サルバトール・ムンディは、やはり「最後のレオナルド」である。結局、レオナルド・ダ・ヴィンチの真作は合計一五点ということになる。

2. ダ・ヴィンチとガリレオ：二人は同一人物

レオナルド・ダ・ヴィンチ自身の問題に立ち返る。ここでわれわれが考えるべきなのは、結局、ダ・ヴィンチとは何者なのかという問題である。現代のわれわれの現前にはダ・ヴィンチの作とされる多くの絵画と彼が書いたとされる膨大な手記が遺されている。しかし、その反面、生身の人間としてのレオナルド・ダ・ヴィンチのイメージはなかなかつかめない。

ダ・ヴィンチの生涯については多くの伝承をつなぎ合わせて一つのライフヒストリーが完成している。しかし、これは偉人の生涯を空白にしておくわけにはいかないため無理に創作されたものという印象を受ける。要するに、われわれは、この偉人について何も知らないに等しい。

そこで、あらゆる先入観を排して虚心にこの人物の正体を探求した結果、私は語るも恐ろしいような結論に達した。レオナルド・ダ・ヴィンチ（一四五二～一五一九）はガリレオ・ガリレイ（一五六四～一六四二）と同一人物である。

「まさか！」という読者の声が聞こえそうである。また、あきれて笑い出した読者もいるかも知れない。なにしろ、この二人は生年が一二〇年以上離れている。しかし、これは、まぎれもない真実である。レオナルド・ダ・ヴィンチの正体を探って行くと、それはガリレオ・ガリレイその人であった。

一二二年も離れて生まれた二人の人物が同一人物であることには説明を要する。このようなケースでは二人の人物のうち片方が実体で、もう片方が仮象と考える。この場合はレオナルド・ダ・ヴィンチが仮象でガリレオ・ガリレイが実体である。

これまでレオナルド・ダ・ヴィンチの人物像がうまくイメージできなかったのも無理はない。それはガリレオ・ガリレイの仮象にすぎないからである。ダ・ヴィンチ名義の絵画と手記を遺したのはガリレオである。

私は以前からダ・ヴィンチ名義の手記はガリレオの手記ではないかと考えていた。半面、絵画は従来通りダ・ヴィンチが描いたと考えていた。けれども、ダ・ヴィンチ名義の手記には絵画の下絵も混入しており手記と絵画の作者を分けて考えることはできない。そうするとダ・ヴィンチ名義の絵画もガリレオが描いたことになる。

有名なダ・ヴィンチの手記は左右が逆になった鏡文字で書かれている。なぜ、このような手の込んだことをしたのか理由がつかめなかった。しかし、これがガリレオの手記であるとなると理由を説明できる。異端審問官の目を逃れようとしたのである。

近代科学の祖、ガリレオ・ガリレイは美術史上、絵画の頂点に位置するいくつかの肖像画を描いていた。しかし、この結論はそれほど唐突なものではない。ガリレオが絵画に通じ絵画職人の同業者組合に加入していたことは以前から知られていた。

同業者組合に加入を許されるということはプロの絵師として認知されていたことを意味する。したがって、その技量は素人の域を超えプロの水準に達していたことになる。ところがガリレオが描いた絵はどこを捜しても見当たらない。これは不思議なことではないだろうか。

しかし、ガリレオが描いた絵は遺されている。レオナルド・ダ・ヴィンチの名で遺された稀代の傑作群がそれである。ダ・ヴィンチ晩年の作とされる三つの肖像画、白貂を抱く貴婦人、ラ・ベル・フェロニエール、モナ・リザが同一画家の作であることは明らかである。しかも、年ごとに画家の技量が上昇していることがわかる。最晩年の傑作、洗礼者ヨハネが彼の芸術の到達点を示す。

3. ガリレオ・ガリレイの生涯：モナ・リザのモデル

ガリレオ・ガリレイというと教会の迫害を受けて苦難の人生を送った人というイメージが湧く。しかし、それは誤解である。晩年に教会から異端の嫌疑をかけられて苦難に直面したのは事実であるが、それは彼の生涯全体からすると例外に属する。

ガリレオは幸運に恵まれて科学者として送り得る最高度の充実した人生を送った。まず、彼はアカデミシャンとして順当なキャリアを積むことができた。一五八九年、ガリレオは二五歳にしてピサ大学に教授のポストを確保している。もっとも、この時点では三年の期限付きで薄給であった。

しかし、一五九二年、彼はパドヴァ大学に転任することができた。この大学には一八年も勤務し次第に待遇も改善された。このパドヴァの地で彼は壮年期を過ごす。パドヴァはベネチア共和国の領内にあり、当時のイタリアとしては比較的、言論、学問の自由が確保されていた。

一六一〇年、ガリレオは故郷のフィレンツェに帰還する。彼はフィレンツェの西方七〇キロに位置するピサの生まれであるが一〇歳の時にフィレンツェに移っておりフィレンツェが故郷である。ガリレオはピサ大学教授の肩書も併有した。しかし、講義義務はなく実質的にはトスカナ大公のお抱え学者ということになる。

彼はフィレンツェ市内に居を構え好きなだけ研究に没頭することができた。科学研究に没頭する一方、モナ・リザなどの肖像画の製作に熱中したのもこの時期であったと推測される。

このようにガリレオは科学者としても芸術家としても類例がないほどの豪勢な人生を送ることができた。しかし、その彼も人生行路において悲哀を味わうこともあった。その最大ものは長女との死別である。

彼は一男二女を設けたものの家族との関係は冷えていた。しかし、長女ヴィルジニア（一六〇〇〜一六三四）との間には例外的に愛情に満ちた深い交流があった。ところが、一六三四年、この長女ヴィルジニア（修道女名マリア・チェレステ）が赤痢に罹り急逝する。これは晩年のガリレオにとって大きな痛手であった。

しかし、ガリレオは長女が死去する前、彼女に永遠の生命を吹き込んでいた。肖像画、モナ・リザの微笑みである。世界一有名な絵画とされる、この肖像画のモデルは誰なのか論争が続いているのであるが、ようやく結論が出た。モナ・リザのモデルはガリレオの長女、ヴィルジニアであった。

モナ・リザの肖像画を観ているとモデルに永遠の生命を吹き込もうという画家の執

念のようなものを感じる。赤の他人から依頼を受けて単に報酬を得るために描いて、これだけの名画が描けるだろうか。この肖像画はガリレオが父親として最愛の長女の肖像に永遠の生命を吹き込むために描かれた。

レオナルド・ダ・ヴィンチの正体はガリレオ・ガリレイであったという推論は正しいと思う。しかし、この推論には一つ難点がある。最後の晩餐の成立をうまく説明できないのだ。最後の晩餐はミラノのサンタ・マリア教会内にある修道院の食堂に描かれている。しかし、ガリレオの生活史のどこを探しても彼がミラノに行ったという記録がない。

あのような大規模な壁画を描くには少なくとも三年間はミラノに滞在する必要があろう。しかし、ガリレオはミラノとは縁がない。ことによると一度も行ったことがないのかも知れない。そうなると最後の晩餐の作成にはダ・ヴィンチつまりガリレオは直接、関与することはなかったことになる。

ダ・ヴィンチ名義の手記には最後の晩餐の構図が遺されているので、おそらく、彼は壁画の構図のみを決めて、壁画を描くこと自体は弟子たちに任せたのであろう。あるいは生前は関与せず、死後、残された構図をもとに壁画が描かれたのかも知れない。レオナルド・ダ・ヴィンチの正体という問題は解決した。その結論はレオナルド・ダ・ヴィンチとガリレオ・ガリレイという人類史上に屹立する二大偉人が同一人物という途方もないものであった。

ルネサンスが始まったとされる頃のヨーロッパの歴史には不明瞭な点が多い。筆者は前著『世界の真実』において「歴史の断層線」という概念を提唱した。歴史年表の西暦一五〇〇年付近を断層線が通っており、その向こうは基本的には伝承の世界で客観的事実とは食い違っていることが多いと指摘した。「歴史の断層線」の向こう側が伝承の世界であることは政治の分野のみならず文学や芸術の分野でも同じである。一五〇〇年以前に出来上がったとされる文学作品や芸術作品の成立には謎がつきまとう。

しかし、この本の出版により、その謎の多くは解かれた。レオナルド・ダ・ヴィンチの正体という最大級の謎についても充分、論じ尽くした。そこで次はルネサンス絵画に遺された最後の謎、ボッティチェリの二大傑作成立の謎に挑む。

4. ヴィーナスの誕生とプリマヴェーラ：ゴドイの依頼によりゴヤが描いた

ボッティチェリの二大傑作、プリマヴェーラ（春）とヴィーナスの誕生はルネサンスの到来を告げる象徴的な作品とされる。ところが、ここで重大な疑念が生じる。この二つの作品のみが彼の他の作品から浮き上がっているのだ。

サンドロ・ボッティチェリ（一四四五〜一五一〇）はレオナルド・ダ・ヴィンチより七年ほど年長であるものの大体、同時代人である。彼の生涯も基本的にヴァザーリの『評伝』に沿って理解される。ところが、このヴァザーリの『評伝』が後世の創作であるとなると、われわれはボッティチェリの生涯についても正確なことは何も知らないことになる。

ボッティチェリはオーソドックスな宗教画を多く遺した。現代人のわれわれから見ても、どちらかというと保守的な作風の画家という印象を受ける。ところが代表作、プリマヴェーラとヴィーナスの誕生の二作は、そのあでやかさで際立つ。とても一五世紀後半のイタリアで描かれたとは思えない。

そこで、いつものように推理力を働かせて行くと、後の世に別の作家によって描かれたという結論に達する。別の作家とはスペインの画家、フランシスコ・デ・ゴヤ（一七四六〜一八二八）である。描かれた時期は三〇〇年も後ろにずれており、描かれた場所もスペインである。なぜ、そう考えられるのか、理由を説明しよう。

ボッティチェリ名義の二大傑作は一八一五年にフィレンツェのウフィツィ美術館において初めて一般公開された。フィレンツェ郊外のメディチ家所有の別荘から発見されたとの触れ込みである。

しかし、これほどの名画が三〇〇年もの間、誰にも知られず秘蔵されていたとは、にわかには信じがたい。さらに内容も近代的で、むしろ一八〇〇年頃に描かれた作品という印象を受ける。一八〇〇年頃に描かれて、一八一五年に突然、公開された。

これほどの大作が二作も制作されたとなると有力なパトロンが存在したと考えられる。それは、かなりの財力を持つ有力貴族か大商人に限定される。メディチ家は没落していたので候補から外れる。しかし、パトロンからアプローチして行くと描いた画家を特定できる。

この二大作制作のパトロンを務めたのはスペインの若き宰相、マヌエル・デ・ゴドイ（一七六七～一八五二）である。一七九二年、宰相に任命された時、ゴドイは弱冠、二五歳であった（立石博高編『スペイン・ポルトガル史』二〇六頁）。彼は、この若さでフランス革命の激動に翻弄されるスペイン王国の舵取りを任される。

佐官級の一軍人にすぎなかったゴドイが異例の栄進を遂げたのは、彼が王妃の愛人であったからである。カトリックの戒律の厳しいスペインでこのようなことが可能であったことには驚かされる。ゴドイと王妃が愛人関係にあることは公然の事実で、政敵から攻撃の材料にされた。しかし、それは致命傷にはならず、ゴドイは一七九二年から一七九七年までと一八〇一年から一八〇八年までの二回、宰相を勤める。

ゴドイは王妃の愛人の地位を利用して栄達を遂げた野心家である。しかし、彼は単なる成り上がり者ではない。ゴドイは政治家として優れた見識の持ち主であった。彼は知恵を絞り内外の難局を乗り越える。

ゴドイ政権はフランス革命には中立の立場を堅持した。しかし、フランス革命の進展に伴いスペインにも革命思想が波及し始めると、政権側としてはそれを阻止する必要が生じる。この時期、スペインは一種の啓蒙専制政治を遂行する。ゴドイ自身は啓蒙思想を信奉する自由主義者であったにもかかわらず国王から国内の自由主義禁圧の最高責任者に任命された。彼は、若干、ためらいつつも、その職責を果たす。

ゴドイは政治家として優れていただけではなく文化の擁護者でもあった。彼は特にスペイン絵画の発展に貢献した。その好例が裸のマハと着衣のマハという一組の絵画である。これはゴドイが当時、スペイン随一の画家と謳われていたフランシスコ・デ・ゴヤに依頼して描かせた。

同一モデルを使って裸体画と着衣画の二枚を描かせたのは裸体画の上に着衣画を覆い被せ官憲の目を誤魔化すためであった。風俗取り締まりの最高責任者であるゴドイが、このような偽装工作をしていた。現代人の失笑を買う場面である。

ゴドイが政権を担ったこの時期、フランスでは大革命を経てナポレオンが台頭する。それに対してイギリスはポルトガルと同盟して大陸の封鎖を狙う。いわゆるナポレオン戦争においてスペインは英仏両勢力の角逐の舞台となる。スペインはフランスと同盟しイギリスと戦う。しかし、フランス・スペイン連合艦隊は一八〇五年、トラファルガーの海戦で戦史に残る大敗を喫する。

続いて一八〇七年、フランスが同盟国を装ってスペインに侵入する。フランスはスペインを勢力下に収めようと企てていた。翌、一八〇八年、カルロス四世は混乱の中で退位を余儀なくされ、後ろ盾を失ったゴドイの地位も危うくなる。

各地に暴動が発生し群衆の不満の矛先はゴドイに向かう。結局、ゴドイは海外亡命を余儀なくされ、この後、二度と故国スペインに帰ることはなかった。ゴドイはマルセイユで四年間過ごし、一八一二年、イタリアに移る。彼はイタリア各地で亡命生活を送った後、一八三二年、パリに移り、一八五一年、その地で数奇な一生を終える。ゴドイは八四年の生涯のうち四三年を海外で亡命生活を送った。

フィレンツェのウフィツィ美術館で二大傑作が公開された一八一五年、ゴドイは亡命者としてイタリアに滞在していた。ここに至って二大傑作の謎解きは一挙に進展する。これまでボッティチェリの作と信じられていた二大傑作はゴドイがゴヤに依頼して描かせた。

二大傑作のどこを見ても、それがゴヤの作であることを示唆する要素は見当たらない。しかし、一つだけ重大なヒントが隠されている。いや、隠されてなどいないのであるが、これまで誰も気が付かなかった。二つの絵画で、ともに主役を務めている女神、ヴィーナスの形態である。

美の女神、ヴィーナスは一方のヴィーナスの誕生では裸体で描かれる。それに対し、もう一方のプリマヴェーラでは着衣で描かれる。これは、ある一組の絵画を連想させる。裸のマハと着衣のマハである。こうなるとヴィーナスの誕生とプリマヴェーラもゴヤの作であっても何ら不思議ではない。

ゴドイは一八〇〇年前後、四枚の絵画の制作を連続してゴヤに依頼した。その後、亡命に際しゴドイは四枚の絵画のうちヴィーナスの誕生とプリマヴェーラを持ち出すことが出来た。亡命中は国内に残した資産は凍結されるので持ち出した資産を売却して生計を立てることになる。

ゴドイはフィレンツェ市に二大傑作を売却し、その結果、一八一五年に突然、ウフィツィ美術館で公開されることになった。以上が二大傑作に関する推理である。もとより、この推理を証明する具体的証拠があるわけではない。しかし、一八一五年に突然、二大傑作が出現するに至った経緯を説明するストーリーとして、これ以上、合理的なものは考えられない。

このマヌエル・デ・ゴドイという政治家は、現在では、あまり知名度が高くない。しかし、二五歳の若さで当時は超大国であったスペインの宰相を任されフランス革命からナポレオン戦争に至る激動の時代に対応した生涯は、もう少し脚光を浴びても良いのではないだろうか。

彼はゴヤのパトロンとしてスペイン絵画の全盛期を導出するなど文化面でも貢献した。おまけに私の推理が正しいとするとゴヤに依頼してヴィーナスの誕生とプリマヴェーラを制作させた。これはゴドイにとっても最大の功績ということになろう。

従来のルネサンス像は大いに揺らぐ。近代の到来を告げる記念碑ともされていた二大傑作絵画は一八〇〇年頃にスペイン人のゴヤによって描かれ、亡命スペイン人のゴドイによりフィレンツェに運ばれた。

第8章 マキャベリの謎に迫る

1．マキャベリの生涯

現在、マキャベリの名は、政治理論書（君主論）の作者としてのみ記憶されている。しかし、彼は歴史書（フィレンツェ史）、あるいは戯曲（マンドラーゴラ）も執筆しており、その著作の対象となる領域は広範に渡る。ここでは、著作者ニッコロ・マキャベリ（一四六九〜一五二七）の本当の姿を明らかにしようと思う。それは、読者の想像をはるかに超える。

マキャベリはエラスムス（一四六九〜一五三六）と同年生まれである。エラスムスの生年については諸説あるものの近年の有力説によると一四六九年生まれでマキャベリと同年生まれということになる。しかし、この二人は対照的な人生を歩む。エラスムスは書斎にこもり古典の研究に没頭するという学究的人生を送る。それに対しマキャベリは政治の渦中に身を投じ波乱に富んだ人生を送る。

しかし、生活の舞台となるとエラスムスの方が活発に移動した。彼は故郷のネーデルランドを離れパリ、ロンドン、ルーヴァン、バーゼルと拠点を移し、最後はドイツ南西部のフライブルクで生涯を終える。一方、マキャベリは外交官としての任務を遂行するため外国に滞在することはあっても、それ以外は、あまり長期間、故郷フィレンツェを離れることはなかった。

マキャベリは生涯の大半をフィレンツェとその郊外で送った生粋のフィレンツェ人である。したがって、その運命は故国フィレンツェがたどる運命によって左右される。マキャベリが生きた一五世紀後半から一六世紀前半のフィレンツェは、幾多の政治変動に見舞われる。そのような事態に陥った最大の原因は、この都市国家の統治形態にあった。

フィレンツェは表面的には貴族共和制を採る一方、そこにはメディチ家という有力家門が存在した。メディチ家の当主は実質的にはフィレンツェの世襲君主に近い。ところが国際法秩序において彼は他国の君主たちから正式な君主として認められていない。これは微妙な立場である。

その結果、貴族たちは親メディチ家と反メディチ家という二つの流派に分かれて争うことになる。メディチ家と反メディチ派が政権交代を繰り返すたびに周囲の行政官たちも右往左往する。その代表例がマキャベリである。

その後、一五三〇年以降、メディチ家の当主たちはトスカナ全土を世襲領とするため奮闘する。そして一五六九年、悲願が叶いトスカナ大公国が成立する。しかし、それはマキャベリの死後、四二年後のことである。

マキャベリは一四六九年、弁護士の子としてフィレンツェに生まれた。父親の家系は中級貴族で母親の実家も裕福な名家である。このマキャベリの出自と経済状態については大きな誤解が広がっている。実際には裕福であったのに貧しく、つつましい生涯を送ることを余儀なくされたなどと思われている。

このような誤解が広がったのは友人に窮乏を訴える手紙が残っているからである。しかし、その種の手紙は後に第三者により創作されたものであるから信じてはいけない。実際にはマキャベリは名家の子弟として経済的に余裕のある環境で知的活動に没頭できた。

彼の生涯、とりわけ、その前半生には謎が多い。残された資料から大体のところは復元されているのであるが、それが真実であるのか、検討を怠ってはならない。エラスムスと同様、マキャベリの生涯は歴史の断層線を跨いでいる。その前半生は歴史の断層線の向こう側であるから伝説に包まれていて、なかなか真実が見えない。

一四九八年、サヴォナローラが処刑され神権政治に終止符が打たれる。この年、マキャベリはフィレンツェの書記官に登用される。弱冠二九歳にして幹部クラスとしての登用である。これは異例の人事で、マキャベリが有力な家門の出であることを示唆する。当時は出自により出世のスピードが左右された。

その後、フィレンツェでは一五〇二年から一五一二年の一〇年間、ピエロ・ソデリーニが政権を担当した。マキャベリは、このソデリーニに引き立てられ政権幹部として活躍するのであるが、やがてそのことが裏目に出る。

一五一二年、スペイン軍に敗れソデリーニが亡命するとメディチ家がフィレンツェに帰還する。もともとマキャベリにせよ彼を引き立ててくれたソデリーニにせよ決して反メディチ派ではない。しかし、政権に復帰したメディチ家からすると彼らは邪魔者以外の何者でもない。ソデリーニは亡命したからいいもののフィレンツェに残ったマキャベリは困った立場に追い込まれる。

案の定、翌年、マキャベリは反メディチ家陰謀に加担した容疑で逮捕・投獄される。しかし、幸いなことに間もなく釈放されて、その後は、山荘にこもり不遇をかこちつつ著作に没頭し、多くの名著を生み出した。

2. 君主論の作者は別人：マキャベリとグイッチャルディーニ

一般に信じられているマキャベリの生涯を祖述すると以上のようになる。しかし、多くのことが見落とされている。マキャベリというとわれわれは君主論を思い浮かべる。けれども、彼は君主論の作者ではなかった。

誰が作者なのか、答えは出ている。フランチェスコ・グイッチャルディーニ（一四八三～一五四〇）という有力貴族が君主論の作者である。グイッチャルディーニはマキャベリよりも一四歳年下で同じくフィレンツェ出身の政治家にして歴史家である。おまけに二人は友人で境遇や思想も近いため何かと比較されることが多い。

これまでマキャベリの著作とされていた君主論は彼の死後、一五三二年に初版が刊行された。これはグイッチャルディーニが自分で書いた原稿をマキャベリの名で刊行したものと推定される。おそらく彼は、何かと問題をはらむこの書を、すでに死去した人物の書として刊行すれば自分に累が及ぶのを回避できると考えたのであろう。

このように推理すると、これまでマキャベリの二冊の代表的著作、君主論とディスコルシの間に存するとされた矛盾は解消する。マキャベリが一五一七年に書き上げたディスコルシは「ティトゥス・リウィウスの最初の一〇章に基づく論考」という正式な書名を持つ歴史書である。

この書物の中でマキャベリは共和制下のローマを称賛し、その統治の成功は統治者の賢明さと一般市民の健全さに依拠すると主張する。このディスコルシにおける共和制賛美と君主論における君主権力強化論が矛盾すると指摘されていたのであるが君主論は別人、グイッチャルディーニの作であると考えれば、そこに矛盾はない。

けれども、有名な書簡との関係という問題は残る。一五一三年、マキャベリは駐ローマ教皇庁大使、フランチェスコ・ヴェットーリ宛に手紙を書いた。それは文化史上有数の美しい内容を持つ書簡として現在まで読み継がれている。

この手紙の中でマキャベリは、昼間はツグミ猟に精を出し、夕方、帰宅すると礼服に着替えて書斎に入ると述べる。ところが、彼は、この手紙に君主論を執筆していると記している。これは君主論をグイッチャルディーニの作とする私の推論に対する反証になるようにも思える。

けれども、この手紙自体が第三者による創作であった。その文章の水準からすると、この手紙を書いたのは相当の教養人である。そこで思い浮かぶのがグイッチャルディーニの名である。この手紙もまた彼が創作した。この時期にヴェットーリに宛てたマキャベリ名義の手紙は全てグイッチャルディーニが創作した。

グイッチャルディーニもマキャベリに劣らず思想と人間性の両面において奥が深い。彼は『リコルディ』という子孫にあてた覚書のような書物を遺した。それは彼が乱世を生き抜く知恵についてまとめたもので、この本を読むと君主論を連想する。やはり君主論の著者はグイッチャルディーニであろうと思われる。

しかし、グイッチャルディーニの本領は歴史学の分野にあった。彼は一四九二年から一五三四年までの四二年間のイタリアの歴史を全二〇巻に及ぶ浩瀚な書物にまとめた。これが有名なイタリア史で、これは近代歴史学の嚆矢とされている。

マキャベリとグイッチャルディーニという同時代のフィレンツェに連続して生まれた二人の人物を対比することは、それ自体、興味深い。この二人はよく似た資質を備えていたが境遇にはかなり差があった。二人が初めて顔を合わせた一五二一年、グイッチャルディーニはフィレンツェ共和国において枢要な地位にあった。一方、マキャベリは一介の就職浪人にすぎない。

たどった人生行路もかなり異なる。グイッチャルディーニは親メディチ派の有力貴族の一員としてメディチ家統治下のフィレンツェにおいて政治に深く関与した。一方、マキャベリは没落した中小貴族の出で政治の中枢からは早々と退けられた。

しかし、一般に誤解されているのと異なりマキャベリには生計を維持するに足る資産があった。彼は、この資産をもとに山荘にこもり著作に没頭した。本来、マキャベリは孤独な思索を好む書斎型の人物である。

3. 神曲とデカメロン：作者はマキャベリ

マキャベリは政治理論（君主論）に始まり歴史書（ディスコルシ、フィレンツェ史）、そして戯曲（マンドラーゴラ）に及ぶ広範な著作を遺した多才な人と評されている。しかし、この著作目録から代表作、君主論が抜け落ちる。そうするとマキャベリの代表作は戯曲、マンドラーゴラということになる。

実際、一六世紀にはマキャベリは何よりもマンドラーゴラを創作した劇作家として記憶されていた。一五一八年に執筆されたこの喜劇は、早速この年に上演されて好評を博す。それは現在でもルネサンス期イタリア喜劇のうちで最大の傑作とされる。

このマンドラーゴラは一般の分類によれば喜劇に属する。しかし、それは単なる滑稽な艶笑譚にとどまらず最終期シェイクスピアの問題劇を連想させる複雑な味わいを持つ。もし、このような評価が許されるならばマキャベリはシェイクスピアより一〇〇年早く同一水準に達していたことになる。

マンドラーゴラという語を見ても多くの読者はぴんとこないであろう。しかし、英語のマンドレイクという語には聞き覚えがあるのではないだろうか。『ハリー・ポッターと秘密の部屋』に出て来る秘薬マンドレイクと同じ語である。

この喜劇は美しい人妻に横恋慕した男が策略を巡らし思いを遂げるというストーリーで、秘薬マンドラーゴラは男が人妻に接近するためのトリックの手段として用いられる。

ストーリーだけ紹介すると他愛もない喜劇のように思えるが、この傑作はそれだけに終らない何かを秘めている。凡庸な書き手の筆によれば単なるドタバタ活劇に終るようなストーリーをマキャベリは苦い味わいのある傑作に仕上げた。そこには人間の軽率な行動を見つめる批評家の目が光っている。

このマンドラーゴラを読む人はボッカチオのデカメロンの世界を連想する。多くの研究者もマンドラーゴラとデカメロンの類似性を指摘する。そうするとマキャベリはボッカチオのデカメロンを参考にマンドラーゴラを書き上げたと考えたくなる。しかし、実際はそうではない。

デカメロンの作者もまたマキャベリであると私は考える。デカメロンはマキャベリが、かつて実在したボッカチオという文人の名を借りて執筆した。デカメロンの真の作者はボッカチオではなくマキャベリである。ここから、さらに推理を続ける。

デカメロンにはダンテの神曲との関連が強く見られる。どちらも一〇〇の部分から構成される点で共通する。ダンテの作とされる神曲は地獄篇が三四歌、煉獄篇が三三篇、天国篇が三三篇、計一〇〇編から成る。ボッカチオの作とされるデカメロンは各一〇日が各一〇話からなり計一〇〇話となる。

二人の作者の好みは同一である。さらに、デカメロンにはダンテの神曲を本歌取りしたものが見られるのであるが、その中でも有名なのが五日目第八話である。これは男になびかない若い娘を猟犬に駆り立てさせ懲らしめるという他愛もない話である。研究者は、それは神曲地獄篇第一三歌のパロディーであると指摘する。

このようにデカメロンと神曲の関連性は研究者によっても広く承認されている。しかし、私は両者の関連性を認めるにとどまらない。私は、そこからさらに進んで神曲の作者とデカメロンの作者は同一人物と推理する。

そうすると、デカメロンの作者はマキャベリであるから神曲の作者もマキャベリであるという空恐ろしいような結論が導かれる。ダンテの作とされていた神曲とボッカチオの作とされていたデカメロンはどちらもマキャベリのペンから生まれた。

ダンテ、ボッカチオ、マキャベリは生きた時代に隔たりがあるものの、この三人には共通点がある。三人ともフィレンツェ人である。ダンテは途中で追放されたものの、当人としては、あくまでフィレンツェ人としての意識を持ち続けた。ボッカチオの場合は出生地こそはっきりしないもののフィレンツェ人を父として生まれフィレンツェで育った。マキャベリはもちろん生粋のフィレンツェ人である。

マキャベリは故国フィレンツェにかつて実在したとされる文人の名を借りて神曲とデカメロンという二大傑作を書き上げた。叙事詩神曲、小説集デカメロン、戯曲マンドラーゴラという三分野にわたる傑作群を一人で書き上げたマキャベリは世界文学史上に記憶されるべき文学的天才と評せる。

第9章 シェイクスピア問題を解決する

1. シェイクスピア問題とは

東洋一の文豪が紫式部なら西洋一の文豪はシェイクスピアということになろう。紫式部の正体がつかめたとなると、読者としては次はシェイクスピアの正体を明らかにして欲しいと思うであろう。読者の期待は高まる。そこで、この章ではシェイクスピアの謎を追って行くことにする。

紫式部の場合、その人物像そのものが不明確であるのと対照的に、シェイクスピアの場合、生身の人間としてのウィリアム・シェイクスピアの人生行路は一時期を除いて、ほぼ正確にフォローできる。

一六世紀は近代国家の形成期にあたり、イングランドにおいても国家は教会を通じて出生、死亡などの個人に関する基本情報を記録するようになっていた。そのおかげでわれわれもシェイクスピアに関して、その出生、結婚、死亡という人生行路における節目節目の情報を知ることができる。

われらがシェイクスピアは一五六四年、ウォリックシャーのストラットフォード・アポン・エイボンに生まれ、一五八二年、わずか一八歳で結婚し、三人の子供を設けたのち、一六一六年、五二歳で世を去った。

ストラットフォードはロンドンの北西一二〇キロのところに位置し、当時は周囲を森に囲まれた人口二〇〇〇人の街であった。ウィリアムの父親、ジョン・シェイクスピアは一時期は現在の市長に相当する役職を務めた人であったが、当時は違法行為とされた高利貸しに手を染めるなどして評判を落とし、家運は衰退に向かっていた。

しかし、没落しつつあるとはいえ、ウィリアムは名家の生まれである。ストラットフォードにはロンドンから劇団が巡業に訪れることが多かったので、その機会に街の有力者であったジョンと劇団関係者との間に、なんらかのコネができた可能性が高い。それは息子のウィリアムがロンドンに出て演劇関係の仕事にたずさわろうとしたときに大いに役立ったことであろう。

ストラットフォードのウィルが何歳くらいでロンドンに出たのかは不明である。一般には結婚して子供を設けてからロンドンに出たとされているのであるが、先にロンドンに出てから故郷に帰って結婚した可能性も否定できない。そうだとするとシェイクスピアは、すでに一〇代にしてロンドンで演劇にたずさわっていたことになる。

時は流れて一五九七年、三三歳になったウィルは故郷のストラットフォードに邸宅、ニュー・プレイスを購入した。言うならば彼は故郷に錦を飾った。この頃までにストラットフォードのウィルは演劇人として成功し、かなりの収入を得るまでになっていたことがわかる。

もっとも、錦を飾るといっても引退したわけではない。引退は、まだまだ先である。彼は現役の演劇人で活動の中心はロンドンにあり、休暇を故郷で過ごすために邸宅を購入したのであろう。彼は、もともと俳優として劇団に入り、そのうち劇団の経営にも参画するようになり、経済的にも成功を収めた。

この頃までに彼は宮内大臣一座という有力な劇団に属するようになっていた。この宮内大臣一座は、一六〇三年、ジェイムズ一世の即位と同時に国王一座に改名し、その後もイングランド演劇界の頂点に君臨し続ける。シェイクスピアはイングランド最高の劇団に所属し続けていたことになる。

一六一二年、シェイクスピアは故郷、ストラットフォードに帰り引退する。そして、四年ほど余生を送ったのち一六一六年に死去する。これは、四八歳で引退し、五二歳で世を去ったことになる。当時としては標準的な人生であった。

このようにウィリアム・シェイクスピアという人物の大まかな人生行路は明らかにされている。しかし、彼の実人生を再現することがわれわれの目的ではない。われわれは、より大きな問題に直面している。

ストラットフォードに生まれ、そこで死んだウィリアム・シェイクスピアという人物が、ロンドンで劇作に従事したウィリアム・シェイクスピアという人物とほんとうに同一人物と言えるのか、という問題に直面している。それがシェイクスピア問題である。

ストラットフォードのウィルが、その生地に残した邸宅から劇作の資料として役立つ蔵書や書きかけの草稿などが発見されていたならば話は簡単である。しかし、その種のものは何一つ発見されていないので、彼は本当は劇作家のシェイクスピアとは別人物なのではないかという疑念が生じる。

彼がロンドンの演劇界で成功を収めたことは事実であろう。しかし、それは彼が役者あるいは劇場経営者として成功したということにすぎない。役者あるいは劇場経営者として成功することと戯曲の作者として成功することとは別次元の問題である。

従来の定説通りストラットフォードのウィルが劇作家のウィリアム・シェイクスピアであると考える説の支持者をストラットフォード派と呼ぶ。それに対し、ストラットフォードのウィルは劇作家のシェイクスピアとは別人物と考える説の支持者を反ストラットフォード派と呼ぶ。

さらに反ストラットフォード派は、ストラットフォードのウィルがロンドンに出て演劇に携わったこと自体は認めるという説と、それも認めないという説に分れる。この点についてはストラットフォードのウィルがロンドンの演劇人ウィリアム・シェイクスピアであることは一応、認めるというのが本書の考えである。

数的には、やはりストラットフォード派が優勢である。しかし、これまで多数の知識人が定説に異議を唱え、真のシェイクスピアの候補の名を挙げてきた。その数は優に五〇人を超え、当時の有力者や有名文化人のほとんどが顔をそろえており、その中にはエリザベス女王の名まである。ほんとうにエリザベス一世がシェイクスピアの戯曲を執筆していたのなら、これほど愉快なことはないであろう。しかし、それが事実である可能性はほとんどない。

2．三人の有力候補：フランシス・ベーコン他二名

もう少し現実味のある候補者について検討しよう。フランシス・ベーコン、クリストファー・マーロウ、オックスフォード伯エドワード・ド・ヴィアの三人がその代表例である。この三人は従来からシェイクスピアの有力候補とされてきた。この三人の中に真のシェイクスピアが隠れているのだろうか。以下、順を追って検討する。

シェイクスピア別人説は、早くも一八世紀頃から誰からともなく、ささやかれ始めていた。その際、真のシェイクスピア候補として第一に名を挙げられたのは、イギリス経験論哲学の始祖、フランシス・ベーコン（一五六一～一六二六）である。

この説は一九世紀の中頃、ディーリア・ベーコンというアメリカ人女性が刊行した

著作を契機に、俄然、注目を集める。彼女はフランシス・ベーコンと同じ姓であるが、それは単なる偶然で、別に親戚というわけではない。

ディーリアが一八五七年にボストンで刊行した書物の内容そのものは、ほとんど妄想の所産としか言いようのない支離滅裂なものであった。しかし、シェイクスピアの正体はフランシス・ベーコンであるという見解は、これ以後、反ストラットフォード派の主流として大西洋の両岸に定着する。

さらにベーコン説には有力な追従者が現れる。アトランティスに関する著作で有名なイグネイシャス・ドネリー（一八三一～一九〇一）である。彼は一八八七年、『大いなる暗号』を刊行し、シェイクスピア名義の戯曲群にはベーコンが作成した大量の暗号が組み込まれていると主張した。

マーク・トウェインに支持されるなどしてベーコン説は二〇世紀に入っても命脈を保っていたのであるが、一九一〇年代に入ると急速に勢力が衰える。シェイクスピアはフランシス・ベーコンであったとする説は、やはり本質的なところで無理があったと言わざるを得ない。要するにシェイクスピアとベーコンではパーソナリティーに違いがありすぎるのである。

ベーコンの著作のどこを調べてもシェイクスピアの戯曲や詩を連想させるものはない。おまけにベーコンは演劇に嫌悪感を抱いていた。有名なイドラ説における第四のイドラは「劇場のイドラ」と名づけられている。ベーコンにとって劇場は人間を誤謬に導く忌まわしい場所であった。

このように演劇を嫌悪していた人物が劇作に没頭することなどあり得ない。フランシス・ベーコンがシェイクスピアの作品の作者であった可能性はほとんどないと言ってよい。そこで、方向を転じて別方面に候補者を探すとなると、やはり同じ時期に活躍した同業の劇作家たちということになろう。

その中でわれわれの目を引くのは何と言っても、シェイクスピアと同年生まれのクリストファー・マーロウ（一五六四〜一五九三）である。彼の短い生涯は、それ自体、注目に値する。マーロウはオックスフォード大学在学中から政府の諜報員として働くなど謎めいた行動をし、成年に達してからも八方破れの生涯を送る。

『タンバレイン大王』の初演は一五八七年であるから、マーロウは二三歳でエリザベス朝演劇の流れを決める重要な作品を完成していたことになる。驚くべき早熟ぶりである。しかし、彼は一五九三年五月三〇日、酒場での喧嘩がもとで殺害される。無頼の生活が祟った、あっけない最期であった。

このシェイクスピアの正体はマーロウであるという説を初めて明確に主張したのはアメリカの弁護士、W・ジーグラーである。ジーグラーは、一八九五年、マーロウが酒場で殺害されたというのは虚偽の情報で、彼はそのまま生き延び、ウォルター・ローリーやラトランド伯と共同でシェイクスピアの作品を書き上げたとする見解を発表した（ジョン・ミシェル著、高橋健次訳『シェイクスピアはどこにいる』四二一頁）。

実際、マーロウが殺害されて退場するのとまるで入れ替わるかのように劇作家ウィリアム・シェイクスピアが登場したのであるから、マーロウは生きており、シェイクスピアの名で劇作を続けたと考えたくなるのも無理はない。

しかし、詳細な検死報告書が作成されているのであるから、やはりマーロウは殺害されていたと考えざるを得ない。マーロウがシェイクスピアの名で戯曲を創作したという説は成り立たない。

フランシス・ベーコンもクリストファー・マーロウも真正シェイクスピアの候補者として失格となると、つぎに注目されるのは演劇界に資金援助をしていた貴族たちである。

芸術にはパトロンが必要である。とりわけ演劇のような大量の資金を要する芸術はパトロンなしには成り立たない。シェイクスピアが登場したとされる頃のイングランドの劇団は、すべて大貴族や王室の援助を受けていた。

さらに演劇好きの一部の貴族は、資金を提供するだけではなく、自ら筆を執り戯曲を執筆していた。シェイクスピアの戯曲はストラットフォードのウィルとは別の人物が書いたとする反ストラットフォード派の人々は、そこに注目し劇団のパトロンとなった演劇好きの貴族たちの一人がシェイクスピアの名を借りて戯曲を創作したと考える。

劇団のパトロンである貴族の中に本物のシェイクスピアがいたとする説には、いくつかのバリエーションが見られるのであるが、その中で本命と言えるのが第一七代オックスフォード伯爵エドワード・ド・ヴィア（一五六〇〜一六〇四）説である。この説は一九二〇年、J・T・ロウニーによって唱えられた。さらに、その後、心理学者のフロイトなどの支持により勢いを得て、二〇世紀の後半まで反ストラットフォード派の主流の地位を保持している。

しかし、このオックスフォード伯は一六〇四年に没したことが確認されている。シェイクスピアの戯曲が一六一一年頃まで書き続けられていたことと照らし合わせるならば、彼がシェイクスピアであったと解することは困難である。

さらに問題なのは、この人物のパーソナリティーである。オックスフォード伯は激しやすい単純な性格で、とても深遠な文芸作品を書けるような人物とは思えない。あまり、この人物を買いかぶってはならない。

オックスフォード伯の他にも劇団のパトロンとなった演劇好きの貴族はいた。しかし、それらの貴族たちを当たってみても、彼らの中にはシェイクスピアの候補者にふさわしい人物は見出せない。結局、フランシス・ベーコン、クリストファー・マーロウ、そしてオックスフォード伯を筆頭とするパトロン貴族たちのいずれの中にもシェイクスピア名義で戯曲を創作したと認定できる人物はいなかった。

3. 最終候補者：ジョン・ダン

結局、従来の有力候補者の中には真のシェイクスピアにふさわしい人物を見出すことはできなかった。そうすると真のシェイクスピアを探し出すことはあきらめ、従来の定説通りストラットフォードのウィルが一連の戯曲の作者であることを認めるべきなのだろうか。私の頭の中にも、やはりシェイクスピアはシェイクスピアであったのだろうという考えが去来するようになった。

しかし、シェイクスピア問題のような世界中の人が関心を寄せる重大な問題で簡単に妥協してはならないと思い直し、さらに探求を続けた。そうすると、真のシェイクスピア候補者として最もふさわしい肝心の人物を忘れていたことに気が付いた。詩人のジョン・ダン（一五七二〜一六三一）である。

これまでもウォルター・ローリーを中心とする文化人グループの一員として、このジョン・ダンの名が挙がることはあった。その場合、ダンはシェイクスピアの名で戯曲を合作していたグループの一員として各戯曲の一部のみの作者ということになる。単独の作者としては彼の名はほとんど注意を引かなかった。

ダンはあくまで詩人として知られており、彼の名で創作された戯曲は一つも残されていない。しかし、彼の母方の祖父は劇作家であり、またダン自身もかなりの演劇好きであったとする友人の証言も残っている。このように劇作家の祖父を持ち、また自らも演劇を愛好していた文才ある人物が、一つも戯曲を創作していなかったとしたら、むしろ不自然なのではないだろうか。

ダンは実際には多数の戯曲を創作していた。しかし、彼は劇作家として自らの名を出すことは避け、戯曲を売り渡した劇団には作者の名を伏せ匿名とするか、あるいは他の誰かの名で上演するよう要請し、劇団側も了承した。その場合、ダンが戯曲を売り渡した劇団こそがシェイクスピアが属した劇団である。それらの戯曲は匿名で、あるいはウィリアム・シェイクスピア作の戯曲として上演された。以上のように推論を展開することは可能であろう。

さらにダンの場合、詩を公表することを避けていたことが知られている。現在、親しまれているダンの詩は大部分、死後、刊行されたものである。そうすると、ダンが戯曲を創作したならば、それを他人の名を借りて公表していた可能性は高くなる。一般の職業的劇作家の場合、演劇界で名を売ることに躍起となっていたので、わざわざ他人の名で戯曲を公表するとは考えにくい。しかし、ダンなら充分あり得る。

このように探索を続ければ続けるほどジョン・ダンこそがシェイクスピアの名で劇作にたずさわっていた人物であるという印象は深まる。そこで、ダンがシェイクスピア候補として真にふさわしいのかという観点から、彼の実人生をたどってみる。

ジョン・ダンは一五七二年の前半、ロンドンに生まれた。ストラットフォードのウィルより八歳年下ということになる。両親はカトリックであった。父親は裕福な商人であったが、ダンが四歳のときに死去する。彼は一五八四年から一五八八年までの四年間、オックスフォード大学に学んだ。しかし、その後、一五九一年にセイヴィーズ法学院に入学するまでの三年間の消息は不明である。

一五九二年にはリンカーン法学院に移る。この頃の法学院では演劇が盛んで、ダンも多くの演劇愛好者と交遊している。あるいは法学を学ぶというのは表向きの理由で、演劇を学ぶのが主な目的で法学院に入学したということもあり得る。演劇の上演場所としては専用の劇場のほかに、宮廷、貴族の館などが考えられる。この法学院の大講堂もまた主要な上演場所であった。

その後、ダンはエセックス伯指揮下の軍隊に入隊する。彼は、その頃までにはカトリックから国教会に改宗していた。二〇代前半に改宗したことは、その後の彼の人生を決定することになる。

ダンはエセックス伯に従い一五九六年にはスペイン本土のカディス遠征に、翌一五九七年にはアゾレス諸島遠征に加わる。同年一〇月には国璽尚書トマス・エジャートン卿の秘書の地位を得てロンドンのヨーク・ハウスに住んだ。

続く四年間は平穏に経過し、ダンにも官界における栄進の道が開かれたかに見えた。しかし、一六〇一年の末、彼の運命を変える事件が起きる。ジョージ・モア卿の娘でエジャートン夫人の姪にあたるアンと秘密裏に結婚したのであるが、当時は両親の承諾なしに未成年者と結婚することは犯罪とされていた。

そのため、翌年、ダンは投獄される。結局、裁判で結婚の正当性が認められ釈放されたのであるが、エジャートン家からは解雇の通告を受けた。かくしてダンは収入を絶たれ、妻の実家からも援助を受けられず、経済的に苦境に立たされる。おまけに一六〇三年に長女が誕生したのを皮切りに、妻のアンは一六一七年に死産が原因で死去するまで、ほとんど毎年のように子供を産み続ける。

その間、ダンの一家がどのようにして生計を立てていたのかは一つの謎である。子供が生まれ始めると妻の実家も態度を軟化させ、遅ればせながら持参金を送ってくれたので、それで最低限の生活は保証されたようである。しかし、この頃の一家の暮らしぶりは思ったより悪くはなく、裕福とまでは言えないものの、人並み以上の生活をしていた。ダンには何か秘密の収入源があったのだろうか。

一六一一年には新たな転機が訪れる。イングランド有数の資産家ドルアリー卿の庇護下に入ったのである。前年に死去した卿の次女のためにダンが挽歌を捧げ、それがドルアリー卿夫妻の心を動かした。同年一一月、ダンはドルアリー卿に従い大陸旅行に出発し、翌一六一二年六月に帰国するまで、半年の間、フランス、ドイツ、ベルギーを周遊した。

これより先、一六一〇年にダンはカトリックからの改宗を勧める『偽殉教者』という書物を刊行した。それが国王ジェームズ一世の目に留まり、国教会の聖職者として本格的に活動するよう国王直々に勧誘されるに至る。

一六一五年、ダンは国王の勧誘に答える形で国教会の牧師になり、第二の人生を開始する。彼は国教会において順調に昇進し、説教師としての名声を確立する。一六三一年に五九歳で死去したときには、イングランド随一の説教師とまで評されるようになっていた。要するにダンは壮年期以降、説教師こそ我が天職と思い定めて人生を送った。そこには、もはや迷いのようなものは見られない。

4. ダンとシェイクスピア：二つの人生の交錯

以上がジョン・ダンの生涯のあらましである。彼が真のシェイクスピアであったという心証は得られたであろうか。若い頃に法律を学んでいたこと、あるいは軍隊に入り海外遠征に加わっていたことなどは、ダンがシェイクスピアであったという推理に有利に働く。真のシェイクスピアは法律、軍事、航海といった分野にかなりの知識を有していたとされるからである。さらに法学院時代、演劇に熱中し、演劇関係者と交遊していたということも大きい。

しかし、これだけではシェイクスピアの正体はジョン・ダンであると立証されたと言うことはできない。もう少し具体的な証拠を収集することが必要である。そこで劇作家ウィリアム・シェイクスピアの航跡と詩人ジョン・ダンの航跡を対比することにしよう（シェイクスピア戯曲の推定成立年代については「図表5」参照）。

シェイクスピアが劇作を開始したのは一五九一年とされている。これは奇しくもダンが法学院に入学した年でもある。しかし、この年に書かれたと推定される『ヘンリー六世』の第一部から第三部までの三作はシェイクスピアの単独作ではなく、むしろ彼は部分的に執筆に参加したにすぎない。あるいは、この頃、シェイクスピアはマーロウなどの有力作家のアシスタントとして作家活動を開始したとも解し得る。

けれども、ここでわれわれの目を引くのはシェイクスピアが劇作を開始した年とダンが法学院に入学した年が同じという事実である。もちろん、単なる偶然かも知れない。しかし、先に確認したように、この頃の法学院では演劇が盛んでダンも演劇に熱中し演劇関係者と交流し始めた。とすると、この頃、ダンが戯曲を共同執筆する作家のグループに加わり、やがて単独で執筆するようになったということも、充分、あり得るのではないだろうか。

いずれにせよシェイクスピアは一五九〇年代を通じてどんどん調子を上げて行き、一五九五年から翌年にかけては『ロミオとジュリエット』、『真夏の世の夢』、『ヴェニスの商人』といった後に有名になる作品を世に送る。

このように一五九〇年代は年平均二作の戯曲を創作しておりシェイクスピアの作家生活は順調そのものであった。ところが世紀の変わり目を超えたあたりで風向きが変わる。まず一六〇二年には一作も創作されなかった。もっとも、そうは言っても創作年代自体が単なる推定にすぎないので、この年には一行の戯曲も書かれなかったなどと決めつけることはできない。けれども、この年の前後、一年ほど創作がほとんど中断したことは確かなように思える。

一六〇三年に創作が再開されると、さらに興味深い現象が表出する。創作の重点が喜劇から悲劇に移り、おまけに作風が大幅に変わってしまったのである。シェイクスピア戯曲の頂点をなすとされる四大悲劇のうち『ハムレット』を除く三作は、これに続く一六〇四年から一六〇六年にかけて書かれた。

そうすると現代人のわれわれとしては、この一六〇二年前後に作者の近辺に何らかの異変が生じたと考えたくなる。このような観点から作者の近辺を探って行くと確かに異変は生じていた。と言ってもストラットフォードのウィルではなくジョン・ダンの近辺に異変が生じていた。

先にダンの生涯をたどったところで明らかにしたように、一六〇一年の末、ダンは秘密結婚をしており、翌年には、それを咎められて短期間ながら入獄するはめになる。となると、ここからどのような結論を導くべきかは明らかであろう。シェイクスピアは、やはりダンであった。入獄しては文芸活動どころではなくなるし、また、その後、作風が変化し重苦しい雰囲気の作品が増えたことも説明がつく。

われわれは、ついにシェイクスピアの正体はダンであったことを証する有力な証拠を手に入れた。しかし、それは状況証拠にすぎないので強固なストラットフォード派の人々を納得させることはできないであろう。したがって、さらにシェイクスピアの作劇人生をたどって証拠集めを続けなければならない。そうするとシェイクスピアの劇作の終了期に、さらに有力な証拠があることが判明する。

一六一一年、シェイクスピアは『テンペスト』を書き上げる。これが彼が単独で執筆した最後の戯曲とされる。結局、シェイクスピアは一五九一年頃から一六一一年までの約二〇年間で四〇作近くの戯曲を創作したことになる。大体、一年あたり二作弱のペースであった。

これ以後、シェイクスピアは演劇界からほとんど完全に姿を消す。それで一般には、翌一六一二年に引退し故郷に帰ったと解されている。しかし、ここで視点をダンの方に転じると実に面白い事実があることが判明する。一六一一年の一一月に新しいパトロンとともに大陸旅行に出かけ翌年六月までヨーロッパ各地を巡る。そして四年後の一六一五年には宗教界に転じる。

シェイクスピアが演劇界から消えたのと大体、同じ時期、ダンもイングランドから離れ、やがて第二の人生を歩み始めていた。つまり、シェイクスピアとダンは、大体、同じ時期に、それまで属していた世界から離れていた。これもまた偶然だろうか。しかし、偶然のように見えることがらも二つ重なると何らかの重大な事実を示唆しているように思えて来る。重大な事実とは、もちろんシェイクスピアの正体はダンであったという事実である。

一歩、また一歩とシェイクスピア＝ダン説に近づいているような気がする。しかし、現時点で「シェイクスピアはダンであったことを立証する具体的な証拠があるのか」と尋ねられたなら、残念ながら「それはない」と答えざるを得ない。有力な状況証拠が積み重なっているのでシェイクスピアの正体はジョン・ダンである可能性が極めて高くなっているとだけ答えることができる。

そうした状況の中、一つ面白いものを見つけた。二〇〇九年に発見されたシェイクスピアを描いたとされる肖像画である。私は、その肖像画に描かれた人物の容貌を見て驚いた。それはジョン・ダンにそっくりなのである。ダンの肖像画でいちばん有名なものはロンドンのナショナル・ポートレート・ギャラリーに所蔵されている。ところが、そこに描かれたダンの容貌と新発見のシェイクスピアの肖像画に描かれた人物の容貌がそっくりなのだ。

こうなるとシェイクスピア＝ダン説の決定的な物的証拠が発見された、と言いたくなるところである。しかし、落ち着いて考えると、そうは言えないことがわかる。新発見の肖像画に描かれた人物が当時、シェイクスピアの名で行動していた人物であることを立証するものは何もないからである。結局、新発見の肖像画もシェイクスピア＝ダン説の決定的な証拠とはならない。

劇作家シェイクスピアの生涯の背後には、常に詩人ジョン・ダンの影がつきまとっていたことは確かなように思える。さらに、シェイクスピアの詩や戯曲とダンの詩に似た雰囲気のものが多いことも多くの人が認めると思う。

しかし、最大の問題は人生行路の対応関係や文章表現上の類似性よりもむしろ人間性そのものである。シェイクスピアの戯曲群の背後に控える作者の深い人間性は、ほかの誰よりもジョン・ダンにふさわしい。ストラットフォードのウィルは芸術家というよりも実業家を連想させる。

5. シェイクスピア（ジョン・ダン）は諜報員だったのか

ダンがシェイクスピアであったという説は、いまのところ仮説にとどまる。けれども、それは充分に信じるに足りる仮説である。それに何よりわれわれは最後になって作者の人間性という最高の証拠にたどり着くことができた。この仮説が定説に昇格する日は近いように思える。

しかし、シェイクスピアの正体という問題に、一応、答えが出たとなると、そこから一歩踏み込んで、もう一つ別の問題について考えてみたくなる。つまり、演劇人シェイクスピアもまた、ジョン・ダンであったのかという問題である。

ストラットフォードのウィルが劇作家シェイクスピアであることを否定する反ストラットフォード派の人々も、彼が演劇人シェイクスピアであることは認めることが多い。つまり、ストラットフォード出身のウィルがロンドンに出て演劇界に身を投じ、役者あるいは劇団経営者として行動していたことは事実として認め、彼の名を借りて別人物が劇作に従事したと解する。

しかし、反ストラットフォード的思考法を貫く人々は、ストラットフォードのウィルが演劇人シェイクスピアであったことも否定する。私も、初めのうちは彼が演劇人シェイクスピアであることは認めてもよいのではないかと思っていた。しかし、時が経つにつれ、ストラットフォードのウィルが演劇人シェイクスピアであったという考えに疑念を抱くようになった。そして、次のような推理を組み立てた。

一五九一年、ジョン・ダンはロンドンに出て法学院で学び始めたのであるが、法学の勉強はそっちのけで演劇に熱中した。彼は劇場に入り浸りとなり役者や劇作家との交流を深めた。そこで友人となったのがストラットフォード出身の役者、エドマンド・シェイクスピア、つまりウィリアム・シェイクスピアの弟である。

ダンは劇作に取りかかるにあたり、エドマンドに頼み込み、その兄、ウィリアムの名で作品を発表することを了承してもらった。その際、エドマンドとウィリアムの双方に謝礼が支払われたことであろう。

かくして劇作家ウィリアム・シェイクスピアが世に出たわけであるが、ダンは、さらに役者として舞台に立ち、劇団の経営にも参画するようになった。その際、彼は役者あるいは劇団経営者として行動するときにもウィリアム・シェイクスピアの名で行動した。つまり、ダンは劇作家ウィリアム・シェイクスピアとして行動すると同時に、演劇人ウィリアム・シェイクスピアとしても行動していた。

ダンが演劇人シェイクスピアでもあったことを立証する証拠があるわけではない。

しかし、ストーリーとしては筋の通った推理であることは認めてもらえるであろう。けれども、このダンが演劇人シェイクスピアでもあったという説を主張する前に一つの疑問に答えを出しておかねばならない。当時、偽名あるいは他人名義で演劇活動することが許されたのかという疑問である。

私はエリザベス朝の演劇史については詳しい知識を持ち合わせていないので正確なことは言えない。しかし、結論から言えば、それは許されていなかったものと思われる。偽名あるいは他人名義での演劇活動を認めてしまえば、演劇に対する政府の監視は不可能になる。政権側からすると、そのような事態は、とうてい容認し難い。

もっとも、許されていないなどといっても露見しなければそれまでなのであるが、いったん露見したら厳罰に処せられたかも知れない。ダンの場合、他人の名を借りて演劇活動をした罪で咎められた形跡がないので露見しなかったということになるのだろうか。しかし、他人の名で舞台に立ちながら正体を見破られないなどということがあるのだろうか。

そこで、想像を働かせ、もうひとひねりした推理を展開し、ダンが政府側の諜報員だったとしたら、どうだろう。諜報員なら偽名あるいは他人の名で行動することは許される。ジョン・ダンがウィリアム・シェイクスピアの名で戯曲を創作するのみならず、演劇活動をも行いながら何の咎めも受けなかったとしたら、それは彼が諜報員であったからとしか説明ができないのではないだろうか。

一五九一年、ダンが劇作家としてのキャリアを開始したとき、クリストファー・マーロウのアシスタントのような立場にあった。ところが、このマーロウが政府側の諜報員であったので、この時にダンも諜報員になるよう誘われたことは、充分、あり得る。

さらに、ダンが諜報員であったことを推測させる出来事があった。一〇年後の一六〇一年、エセックス伯が謀反を企てたものの短期間で鎮圧されるという事件が起きた。その際、シェイクスピア（ダン）が属する劇団がエセックス伯に依頼されて『リチャード二世』という歴史劇を上演していた。しかし、その内容が問題だった。

それは、リチャード二世が従兄のヘンリー・ボリングブルックに王位を簒奪されるという、まるで反乱を煽るような内容だったので、劇団が反乱に加担しているようにも解釈できた。したがって、劇団全体が処罰されるというのが大方の予想であった。ところが、簡単な事情徴収を受けただけで何の咎めも受けなかったので、それはなぜなのか、当時から現在に至るまで謎とされている。

このような王位簒奪を正当化し反乱を煽るような内容の演劇を反乱当日に上演しながら何の咎めも受けないというのは、どう考えても不自然で、何か裏があったと考えざるを得ない。そこで浮かび上がるのが課報員、ダンである。

ウィリアム・シェイクスピアことジョン・ダンが課報員であったなら、劇団内の動きからエセックス伯の反乱が切迫していることを察知し、その旨を当局に通報するであろう。実際、反乱が極めて短期間で鎮圧されたことから推察すると計画は事前に察知されていたと思われるのであるが、反乱計画を探知して当局に知らせたのはダンであったかも知れないのだ。

そうなると反乱の短期鎮圧の最大の功労者はジョン・ダンということになるだろう。その点を考えると、劇団が処罰を免れたことも説明できる。ダンの功績に免じて劇団も、お咎め無しということになったのである。

さらに想像力を巡らせると劇団側もダンが諜報員であることを知っていたのかも知れない。ダンが諜報員であることなど百も承知で劇団に出入りすることを許し、適度に情報を流すことにより政府の警戒を解こうとしていたとも解釈できる。もし、そうだとするとダンは一種の二重スパイだったということになる。

ダンが純然たる政府側の諜報員だったのか、一種の二重スパイだったのかは定かではない。しかし、いずれにせよ彼は果敢に行動することにより自分が所属する劇団を守った。やはり、大した人物であったと思う。

ダンは一時期、エセックス伯の部下であった。若き日のダンはエセックス伯の海外遠征に従軍している。このような経歴からするとダンがエセックス伯らの反乱に参加しても不思議ではない。しかし、彼が反乱側に心を寄せた形跡はない。ダンは、かつての上官への義理から成功の見込みが乏しいクーデターに加わるような「お人好し」ではない。

あるいはエセックス伯側からダンに向けて参加の打診があったのかも知れない。もし、そうだとするとエセックス伯らは自ら進んで政府側の諜報員に反乱計画の情報を漏らしたことになる。これでは反乱が短期間で鎮圧されたのも無理はない。

これまでの推理が正しいとすると、ジョン・ダンは自らの名で知られる作品を残すと同時に、ウィリアム・シェイクスピアの名で多数の戯曲を書き、演劇人そして諜報員として行動していた。

いずれにせよ一六一三年、『ヘンリー八世』上演中にグローブ座が炎上し、彼が最後の活動拠点にしていた劇場が消滅した。その際、彼が劇場内に一室を確保し保管しておいた蔵書や原稿も灰になった。それと同時にジョン・ダンがウィリアム・シェイクスピアであったことを証する物的証拠も地上から消えた。

第10章　啓蒙思想の裏側を探る

1．啓蒙思想の表側：一八世紀はヴォルテールの世紀

一八世紀はヴォルテールの世紀と言われる。実際、ヴォルテール（一六九四～一七七八）のたどった知識人としての人生は他の誰も比肩できないほど痛快かつ豪快なものであった。

二〇代にして劇作家として成功を収めたヴォルテールは、三〇代の前半、貴族とのトラブルが原因で二年半ほどの間、イギリスに亡命を余儀なくされる。しかし、彼は、その イギリス滞在中の見聞をもとに一七三四年、四〇歳で『哲学書簡』を刊行する。これはイギリスの先進的な政治や文化を紹介した本で、イギリスの先進性を称賛することによりフランスの後進性を間接的に批判する内容となっている。

この本の刊行を理由に逮捕状が出たことを知ったヴォルテールは愛人のシャトレ侯爵夫人（一七〇六～一七四九）の館に逃げ込み、四〇代初めから五〇代半ばまでの一五

年間を、このシレーの館を本拠地として過ごす。

シレーはロレーヌ地方西部の辺鄙な集落である。しかし、ヴォルテールは、この地でシャトレ夫人と共に充実した壮年期を過ごした。シャトレ夫人は当時のフランス人女性としては最高度の知性を持つことで知られており、とりわけ理数系学問の素養においてはヴォルテールを凌駕していた。ヴォルテールが八〇歳を越えるまで長期に渡り活発な知的活動を持続できたのは、この一五年間の蓄積の賜物である。

四〇歳にしてフランスにおける知的世界のリーダーとしての地位を確立したヴォルテールは、その後、四〇年間にわたってヨーロッパ最大の知識人として君臨する。とりわけ六〇歳代に入り、まず、ジュネーヴ郊外に、続いてスイス国境に近いフランス領内のフェルネーに館を構える頃には、彼は、もはや一知識人の範疇を越え国王すらうかつに手出しできない存在となっていた。

知識人はもとより王侯貴族もがヴォルテールと文通を交わすことを何よりの光栄と感じた。フェルネーの館には彼に一目会おうと大勢の有力者が入れ代わり立ち代わり訪れた。フェルネーの長老の名で呼ばれるようになったヴォルテールは途方もない威信を獲得していた。

一七七八年、彼が故郷であるパリに二八年ぶりに帰還した時、パリ中の人々が熱狂した。知識人の周囲に群衆が押し寄せる光景というと一九八〇年にサルトルが死去した時の光景を連想する。

ヴォルテールとジャン゠ポール・サルトル（一九〇五〜一九八〇）の生涯を比較するのは面白い。若くして劇作家あるいは作家として世に出て、そこを土台にオピニオンリーダーとしての生涯を送ったという点で両者は共通する。しかし、生前に有した発言力あるいは影響力という点ではヴォルテールの方がはるかに上回る。

知的世界におけるヘゲモニーを握った期間についてもサルトルは二〇年ほどであったがヴォルテールは四〇年にわたって言論界のイニシアティブを行使した。壮年期の一時期、サルトルはヴォルテールを上回るほどの名声を享受した。しかし、晩年の一〇年間、その名声と威信は急落する。

サルトルの場合、死後、さらに評価を低下させ、現在では、その思想を信奉する者は一握りにすぎない。それに対して、ヴォルテールの場合、死後も評価をさらに上昇させた点でサルトルとは対照的である。一八世紀はヴォルテールの世紀と言えるが二〇世紀はサルトルの世紀とは言えない。

痛快極まりない生涯を送ったヴォルテールであったが、晩年の数年間は病に侵されて困難な日々を送った。一七七八年にパリに帰還した時には彼の肉体には末期のガンが忍び寄っていた。この年の五月、彼は八三歳六ヶ月の生涯を閉じる。

死後に遺体を解剖した医師の所見によると膀胱と前立腺のどちらにも悪性の腫瘍が見られた。膀胱と前立腺のどちらが先にガンを発症したのかは不明である。あるいは、その両方に別々に発生したということもあり得る。

いずれにせよ膀胱あるいは前立腺からリンパ腺に転移し足にむくみが生じた。続いて肺に転移し大量に吐血する事態に陥る。これらは膀胱ガンあるいは前立腺ガンが進行するときの典型的な現象である。

晩年の数年間は泌尿器系のガンに苦しんだもののヴォルテールは知識人として幸運に包まれた生涯を全うする。彼の知識人としての生涯は後にも先にも類例がないほど痛快かつ豪勢なものとなった。

彼の幸運は、その死後も続く。ボーマルシェという才気と財力を兼ね備えた人物が、その全集の刊行を一手に引き受けた。劇作家ボーマルシェ（一七三二～一七九九）は、戯曲『セビリアの理髪師』と『フィガロの結婚』の作者として知られている。

ヴォルテールの死後、ボーマルシェは大金を投じて全集の編集権を獲得し、しかも専用の印刷所まで建てる。かくして一七八三年から一七九〇年にかけて八つ折版、全七〇巻の全集が刊行される。これが、いわゆるケール版全集である。

ケールはライン川を挟んでストラスブールの対岸に位置するドイツの小都市である。全集の印刷所が置かれたのが、この町であったからケール版全集と呼ばれる。この全集は商業的には完全な赤字であったもののボーマルシェはヴォルテールの遺作を世に広めた人物として後世に名を遺すことになる。

2. カサノバ回想録：ボーマルシェの創作

ボーマルシェの名は意外なところで再び顔を出す。私は、いわゆるカサノバ回想録の真の作者は誰なのか探求していた。そこへ、このボーマルシェの名がその有力候補として浮上した。

ジャコモ・カサノバ（一七二五〜一七九八）はベネチア生まれの有名な色事師で、その回想録は多くの女性との交情を詩情豊かに描写しており、現在でも多数の読者に愛読されている。

ところが、この本には当人により書かれた回想録ではなく別人がカサノバの名を借りて創作した小説ではないかという疑念が付きまとう。このカサノバという人物は実際には大した人物ではないようにも思える。そうすると、そのつまらない二流人がこれほど魅力にあふれた冒険活劇を実体験したとは考えにくい。

ジャコモ・カサノバという人物が実在しベネチアの監獄から脱獄して名を馳せたというのは事実であろう。そして晩年にはボヘミアの貴族の館に居候のような形で隠棲し寂しく死んで行ったというのも一応、事実として承認できる。しかし、事実と認められるのは、こうした生涯の基本的な枠組みのみである。

彼が経験したとされる各種の冒険は、そのほとんどが第三者の創作であったように思える。その第三者がカサノバの実人生を下敷きに回想録を創作した。

それにこの回想録なるものには決定的に不自然な点が認められる。それはフランス語で書かれていることである。イタリア人（正確にはベネチア人）のカサノバがなぜ、わざわざ外国語であるフランス語で書かねばならなかったのか。この点については当時、フランス語が社交の共通語であったからなどと説明されることが多いのであるが、承服できない。

そうすると、この回想録はフランス語を母国語とする別の人物がカサノバの名を借りて創作したと考えるべきであろう。現に、これまでもカサノバ回想録の作者はスタンダール（一七八三〜一八四二）ではないかという意見が見られた。私も一時期、この回想録の作者はスタンダールで決まりだと考えていた。実際、この回想録にはスタンダールの小説に雰囲気がよく似た場面が何度も登場する。

しかし、まず、一七九八年にカサノバが死去した時に一三歳であったスタンダールが、この回想録の作者であることが可能なのかという疑問が生じる。けれども、意外なことに、この時系列上の問題はクリアーできる。なぜかというと、カサノバの死後、回想録が世に出るまで時が経過し、一種のタイムラグが生じていたからである。

一七九八年にカサノバが死去した時、その回想録の膨大な量の原稿は姪の夫の手に渡る。カサノバにはたくさんの子供がいたとされている。しかし、すべて未認知の婚外子であったので姪が相続することになった。一八〇八年、原稿は姪の娘がさらに相続し、一八二一年、彼女はドイツの出版社、ブロックハウスに原稿を売却する。

翌年からドイツ語訳が刊行されるが、その後、この作品の周囲には混乱が発生する。まず、フランスでドイツ語からフランス語への重訳版が出版される。しかし、これは海賊版であるのに加えて多くの削除を含む不完全版であった。続いて、この海賊版に対抗して本来の出版権者であるブロックハウスは原典に依拠したフランス語版を刊行する。けれども、これもまた削除、加筆、改変に満ちた不完全版となる。

しかし、ようやく一九六〇年になってブロックハウスとフランス人編集者の共同作業によりオリジナル原稿による回想録が刊行された。主人公であるジャコモ・カサノバの死後、一六〇年以上経過して読者は本来の回想録を手に取ることができた。オリジナル原稿は二〇一〇年、フランス国立図書館が購入した。

以上が原稿がたどった数奇な運命の概略である。オリジナルの原稿が日の目を見るまで一六〇年以上の年月を要したものの原稿が散逸せずに残ったことは奇跡に近い。原稿がブロックハウスという大出版社の手に渡ったことは幸いであった。個人により保管されていたら散逸していた可能性が高い。

ここで再び、スタンダール作者説の当否の問題に立ち返る。ドイツの出版社に原稿が渡った一八二一年の時点でスタンダールは三八歳の壮年期である。三八歳のスタンダールが完成した原稿を出版社に売り渡したと仮定するならば時系列の問題はクリアーされる。この時までならスタンダールが、この回想録の原稿を書き上げることは可能である。

しかし、なぜスタンダールがわざわざドイツの出版社に原稿を売却する必要があったのか説明がつかない。やはり、カサノバ回想録の作者はスタンダールだという説には無理があるように思える。

そこで別の候補者を探すとスタンダール以上にぴったりだと思われる候補者がカサノバの同時代人から見つかった。劇作家のボーマルシェである。

3. 究極のリベルタン：ボーマルシェ

カロン・ド・ボーマルシェことピエール・オーギュスタン・カロン（一七三二〜一七九九）はフランスのパリに時計職人の子として生まれた。この時計職人の子という出自はルソーと同一である。

ルソーの場合はみなし児同然の境遇で放浪生活を余儀なくされた。それに対しボーマルシェの場合は両親の保護下で成人した。しかも、ボーマルシェは家業である時計製造を土台に世に出ることができた点でもルソーに比べて幸運であった。彼は時計の速度調整装置を発明し時計が刻む時刻の精度を格段に向上させた。そして宮廷に出入りすることも許されるようになる。

宮廷に出入りするようになったボーマルシェは、その生来の美貌を生かし貴婦人に取り入り富豪を後ろ盾にすることに成功する。その後の彼は予想されるがごとく、金になることは何でも手掛けて蓄財する。一七六一年には国王秘書官という地位を買い取り首尾よく貴族の仲間入りを果たした。

三〇代の半ばからは劇作に手を染め『セビリアの理髪師』、『フィガロの結婚』の作者として名を馳せる。しかし、劇作を行ったのも文学を極めようという純粋な動機からではなく地位を上昇させようという野心からであった。

劇作家として名を成すことは有力な後ろ盾を持たない青年が野心を満たす最短距離であった。劇場には貴族や富豪が訪れるので原作者も彼ら有力者の目に留まる。ボーマルシェも彼が崇拝するヴォルテールが劇作家として世に出たのに習おうとしたのであろう。

以上のようなボーマルシェの特質を一言で表現するならば、飽くなき上昇志向の持ち主ということになる。上昇志向という言葉は普通、ある人物の他人を蹴落として自らの野心を遂げようとする傾向を非難する文脈で用いられる。

しかし、ボーマルシェの場合は、この上昇志向に病的にゆがんだ心根が見られない。彼の場合は持って生まれた美貌と才気を生かして野心を遂げて行く生き方が、むしろ健康的でさわやかな印象すら受ける。

ボーマルシェは数えきれないほどの職業をこなし、数えきれないほどの女性と浮名を流し、崇高なことから怪しげなことまで全てをやり尽くした。われわれは、この人物に究極のリベルタン、最も完成された形のリベルタンを見出すことができる。

一般にリベルタンとは信仰心のない放蕩者を指すフランス語である。しかし、やがて拡張されて放蕩を行わない者にも用いられる。現在では一七世紀、ルネサンス時代と啓蒙時代の中間に位置するバロック時代に出現した宗教から解放された自由思想家を指すことが多い。

前章に登場したジョン・ダンも若いころはリベルタンと言われていた。しかし、彼の場合は壮年期以降は国教会に忠実な説教師に変身する。けれども、これは子沢山であった彼が生活の必要に迫られたためで、その奥底の心情は変わらなかったのではないだろうか。

一般にはリベルタンという言葉は一七世紀のバロック時代の思想家たちを指す用語として用いられる。しかし、具体的な人物にリベルタンの実例を探すと一般のイメージとは別の結果が得られる。このリベルタンという言葉が最もよくあてはまるのはボーマルシェのような一八世紀の啓蒙時代に出現した人物である。

この究極のリベルタンとも言うべきボーマルシェが織り成した人生行路は、いわゆるカサノバ回想録に書き込まれたカサノバの人生行路にぴったり符合する。実際にボーマルシェが長期間滞在し活発に行動した場所にはカサノバも長期間滞在し活発に行動している。

この点を考え合わせるならば、やはりカサノバ回想録なる書物に書き込まれたカサノバの冒険はボーマルシェが自らの実人生で体験したことをもとに創作したと考えられる。カサノバ回想録の作者がボーマルシェであった可能性はかなり高い。

カサノバ、それも回想録で創作された虚像としてのカサノバではなく実在する人物としてのカサノバとボーマルシェは対照的な晩年を過ごす。一七八五年、ボヘミア（現在のチェコ）に隠棲したカサノバは一七九八年、七三歳で没するまでの一三年間、零落した寂しい月日を送る。

一方、ボーマルシェは一七八七年、パリ市内に大豪邸を建設し得意の絶頂に達する。その後は大革命の勃発により亡命を余儀なくされるなど、相変わらず波乱万丈の月日を送る。彼は、一七九三年六月、外国に亡命する。

ロベスピエールが公安委員を務めジャコバンの独裁が頂点に達するのは翌月の一七

九三年七月からの一年間であるから、まさしく間一髪の脱出劇であった。国内に留まっていたなら、ほぼ確実に断頭台の露と消えていたであろう。悪運が強いボーマルシェは幾度も危ない橋を渡りながら、その都度、紙一重で危機を回避している。

彼は三年間、外国で苦難に満ちた亡命生活を送った後、一七九六年七月、無事、帰国する。そして、ジャコバン没落後のフランスにおいてナポレオンの台頭を横目で見ながら晩年の月日を送り、一七九九年五月、六七歳の生涯を終える。穏やかな眠るような最期であったそうである。

4. 啓蒙思想の裏側：マルキ・ド・サド

究極のリベルタンというと、誰もが、もう一人マルキ・ド・サド（一七四〇〜一八一二）の名を思い浮かべるであろう。啓蒙思想の表側を代表するのが先に紹介したヴォルテールなら、その裏側を代表するのがマルキ・ド・サドということになる。

この面妖な作家が書き遺した膨大な作品群にどう対応すべきなのだろうか。そもそも、この奇怪な人物が、これらの小説を本当に自分で書いたのかという疑問も生じる。

有名な古典が本当は別の人物によって書かれたことを明らかにするのは本書が最も得意とする手法である。この場合も読者は、それを期待したかも知れない。

私自身としてもサドの作とされる著作が実際には別の人物によって書かれた可能性があるように思えた。それで早速、サド作品の成立過程に探りを入れてみた。その結果、やや意外なことにサド名義の著作は、やはり彼自身の作であるという結論に達した。

原稿が長い間、行方不明になるなど成立過程に疑念がある『ソドムの百二十日』と、グロテスクな要素が抑えられて芸術性が高いと思われる『ジュスティーヌまたは美徳の不幸』の二冊には特に疑念が湧いたので他に作者がいる可能性を念入りに検討した。けれども、この二冊も、やはりサドの作と認めざるを得ない。

私は一時期、『ジュスティーヌまたは美徳の不幸』などの作者はピエール・ショーデルロ・ド・ラクロ（一七四一～一八〇三）ではないかと考えていた。サド作品が他の作者によって書かれたとすると、その可能性が一番高いのは彼である。

ラクロはサドに一年遅れて生まれた同時代人で、一七八二年、四一歳の時、貴族社会の退廃を暴く心理小説の傑作、『危険な関係』を刊行した。ところが、不思議なことに、その後、小説執筆をぴったり停止する。そこで、こちらとしては、この時点において、後にサド名義で発表される作品を書き始めたと推理したくなる。

実際、サド＝ラクロ説は魅力ある仮説である。これが真実であるならば、これほど愉快なことはない。しかし、この仮説が真実である可能性は低い。ラクロにはグロテスクな性的逸脱を愛好する性癖などは見出せない。ラクロは人間界を心理戦の舞台として認識し、そこでの人々の動きを理知的な目で追うことを信条とする。

やはりラクロがサド作品を執筆したと考えることはできない。むしろサドがラクロの『危険な関係』を参考にしたと考えるべきである。サドが創造したジュリエットの人物像には『危険な関係』の主人公、メルトイユ侯爵夫人の面影が反映している。

サド名義の膨大な作品は、その半数がエログロ小説である。しかし、そこには同時に一種の芸術性と思想性が表出している。読者は、この膨大な作品群をどのように読めばいいのか当惑させられる。

サドの小説世界においては善と悪、美徳と悪徳が対抗関係にあることすらまれで、善あるいは美徳は悪あるいは悪徳に一方的に食い物にされる。それは江戸時代の日本で流行したような勧善懲悪小説の対極にある。そうするとサドは悪を推奨するために、これらの作品群を書いたのだろうか。実際、サドはジュスティーヌのように生きることなどやめてジュリエットのように生きよと作品の中で公言している。

しかし、読者は必ずしも作者の意図通りに読む必要はない。『ジュスティーヌ』の読者は悪に対して無防備な善はいかに脆いか、という警告を読み取ることができる。私などは悪人を騙して大金をせしめるくらいでなくては一人前の善人とは言えないのではないかと考えた。

サドの一連の小説群は啓蒙思想運動の中に組み込まれる。サド自身には啓蒙運動に参加しようという気は全くなかった。しかし、人間世界の暗黒面に焦点を当てる彼の作品は、いかなる経過をたどって悪がはびこるのかを読者に開示する。大いなる教訓を提示するサドの作品は作者自身の意図に反して啓蒙の書として機能する。

近時、注目されている暗黒の啓蒙という思想運動も一種の啓蒙運動である。暗黒の啓蒙は政治の面では伝統的な平等主義を虚妄として退ける新反動主義として出現する。

その一方、経済の面では資本主義を加速することにより真に自由で豊かな社会に到達すると主張する加速主義として出現する。政治の面では反動、経済の面では加速という一見すると正反対の主張として現れるところが面白い。

しかし、暗黒の啓蒙という思想運動は近年になり突然、出現したのではない。一八世紀後半のサドの文学と哲学は、まさしく、この暗黒の啓蒙という思想を体現していた。暗黒の啓蒙もまた人間社会の暗黒面に目を凝らし、そこに光を当てるという点で、まさしく啓蒙思想の系譜に属する。

一般の常識では容易に理解できないサドの思想も暗黒の啓蒙という思想の表現と考えれば理解可能になる。謎めいた思想家、マルキ・ド・サドは暗黒の啓蒙という思想運動の先駆者であった。

第3部 現代によみがえる江戸の古典

年表3　江戸・明治文化史年表

西暦	出来事
１６２５	北村季吟、生まれる
１６４４	芭蕉、生まれる（伝承）
１６５０	北村湖春、生まれる
１６７５	芭蕉、江戸に下る（伝承）
１６８０	芭蕉、深川に移り隠棲する（伝承）
１６８９	北村季吟、幕府の歌学方に就任、江戸に下る
１６９４	芭蕉、没する（伝承）
１６９７	北村湖春、没する
１７０２	奥の細道刊行（真の刊行年は１８９３年→）
１７０５	北村季吟、没する
１７５３	安藤昌益、自然真営道（三巻本）刊行
１７７６	平田篤胤、生まれる
１７９４	写楽出現（伝承）
１８１３	平田篤胤、霊能真柱（たまのみはしら）刊行
１８４３	平田篤胤、没する
１８８０	淡島寒月、西鶴の浮世草子を発見
１８８２	ビゴー来日
１８８７	幸田露伴、北海道から東北地方を縦断し帰京
１８９３	芭蕉２００回忌。露伴、奥の細道を刊行
１８９９	狩野亨吉、自然真営道の稿本を発見。ビゴー帰国
１９０５	林忠正、パリを立ち日本に帰国
１９１０	ユルウス・クルト、『SHARAKU』刊行
１９２８	狩野亨吉、『岩波講座・世界思潮』に「安藤昌益」発表

第11章　江戸文学の裏側を探る

1. 芭蕉とは誰なのか：二人の候補者

江戸時代の元禄年間は西暦で言うと一六八八年から一七〇二年までの一五年間続いた。その間、源氏物語という後に古典中の古典と評される書物が読まれ始める。この元禄年間を頂点とする一七世紀後半から一八世紀初頭までの半世紀の間、元禄文化と呼ばれる町人文化が花開いた。この元禄文化の中でもとりわけ華やかであったのが文芸の分野である。

元禄期の文芸と言えば、やはり芭蕉の俳諧と井原西鶴の浮世草子である。西鶴の浮世草子については「5」で論じる。この項ではまず芭蕉とはいかなる人物であったのか探ることにする。俳聖とも呼ばれる芭蕉は俳人として高名なばかりで、その実人生はほとんど明らかになっていない。実際は正体不明の人物と言ってもよいのではないだろうか。

一六七五年頃に関西から江戸に下ったことは知られている。しかし、それ以前の出自については全然、何もわかっていないに等しい。伊賀に生まれ藤堂家に仕えていたなどとされているのであるが、それは単なる伝承にすぎない。偉大なる俳聖が出自不明なままではまずいので、後継者たちがいろいろ伝承を集め、それを一つのライフヒストリーに仕立てあげたのであろう。

そうなると事態はシェイクスピアのケースに類似する。シェイクスピアの場合、ストラットフォードのウィルが劇作家シェイクスピアであるとする当人説と、劇作家シェイクスピアはストラットフォードのウィル以外の人物とする他人説が対立していた。芭蕉の場合は伊賀出身の松尾何某が芭蕉であるとする説とそれ以外の人物が俳人芭蕉であるとする説が対立することになる。

伊賀出身の松尾何某が芭蕉であるという従来の定説は支持し得ない。現在まで伝えられている伝承は、あまりに漠然としていて、とうてい一人の具体的な人物の生涯を伝えているとは思えない。本書では伊賀出身の松尾何某とは別の人物が芭蕉の実体であったという前提に立ち、それが誰であったのかを探る。

この芭蕉という人物の正体を明らかにするに際しては、その実人生を一から洗い直さねばならない。芭蕉に関する従来の伝承は単なる創作として切り捨てる。さらに、そこから進んで、その人物像に適合する人物を探す。私は最初に契沖という同時代人に注目した。

契沖が生まれたのは一六四〇年、没したのは一七〇一年である。したがって、一六四四年に生まれ一六九四年に没したとされる芭蕉の人生は契沖の人生にすっぽり覆われる。こうした事実を勘案して私は、芭蕉という人物の正体は契沖であったという仮説を立てた。

契沖という本来は上方を本拠とする人物が江戸に移って芭蕉という俳諧師になったという推理はなかなか面白い。しかし、この推理には無理があるように思えた。契沖は篤実な学者肌の人物で一種の「かるみ」を追求する俳諧の方面には資質があるとは思えない。

やはり芭蕉の正体は別の人物である。そう考えて同時代の文化人の中から、その候補者を絞り込んで行くと思いもよらない人物の名が浮かび上がった。第二代水戸藩主、徳川光圀（一六二八～一七〇一）、いわゆる水戸黄門である。

これまで芭蕉の正体については誰も決定的な答えを出すことができず、芭蕉忍者説まで飛び出した。しかし、その正体は忍者どころでなく「天下の副将軍」、徳川光圀である可能性が出てきた。

芭蕉と光圀については一つ接点がある。伝承によると芭蕉は一六八〇年頃、神田川の治水工事に携わっていたのであるが、この工事に水戸藩が関与していた可能性が認められる。現在も文京区関口には関口芭蕉庵が遺されている。これは光圀が水道工事を監督するに際して休憩所として用いたものであろう。これらの事実は芭蕉と光圀は同一人物と解する推理を補強する証拠になる。

芭蕉の正体が徳川光圀であったとなると一般人は驚愕し評判になるであろう。しかし、考察を進めて行くと、この説は、やはり成り立たないように思えた。なんと言っても光圀自身の資質に問題があった。

これまで光圀に関しては慈愛に富んだ仁政を行った名君という伝承が伝えられている。その一方、意に沿わない家臣を切り捨てた苛烈な君主という記録も残っている。

現代人のわれわれとしては、そのどちらを信じればいいのか判断に迷う。

近年、仁政を行った名君などという光圀に関する旧来の人物像はかなり揺らいでいる。さらに光圀は暗愚な暴君であったとする説すら出現した。仁政を行った名君であったとする説は、もはや幻想にすぎない。

光圀の文化人としての資質も従来は過大に評価されていた。光圀が各種の学芸の振興に資金援助をしたことは事実である。しかし、だからと言って文化人として高い素養があったことの証明にはならない。

光圀には俳人、芭蕉を演じるほどの素養があったとは思えない。やはり、芭蕉の実体が徳川光圀であったという推理は成り立つ余地がない。

2. 芭蕉の正体：北村湖春（こしゅん）

契沖、徳川光圀と二人の候補者を渡り歩いたものの、結局、そのどちらも脱落した。しかし、私は屈せず、新たな候補者を探し続けた。そうすると有望な人物に行き当たった。北村季吟（きぎん）が、それである。

北村季吟（一六二五〜一七〇五）は近江国野洲郡（現在の滋賀県野洲市）の生まれで代々、医師を生業とする家系に属する。季吟は和歌や歌学を学び貞門の俳諧師として名を成した。一六八九年、季吟は幕府の歌学方として召し抱えられ子息の湖春と共に江戸に移る。

こうした季吟の基本的人生行路は芭蕉のそれと重なる。まず、季吟の出身地、近江国野洲郡は芭蕉の出生地とされていた伊賀地方から近い。両者は直線距離で三〇キロほどしか離れていない。

また、関西に生まれ、後に江戸に下ったという点でも両者は共通する。芭蕉が江戸に移住したのは一六七五年、一方、季吟が幕府に仕官するために江戸に定住したのは一六八九年で若干、年代に開きがある。しかし、季吟はそれ以前、一六七二年にも幕府の要請で江戸に下っている。

このような諸事情を勘案すると季吟が芭蕉の本体であった可能性は高まる。しかし、その人生行路をいくら分析しても季吟が芭蕉であったという心証は固まらない。季吟の人生のどこを観察しても彼が芭蕉であったというイメージが湧かない。

北村季吟は和学、和歌、俳句、漢詩文と広い分野に才能を示した。しかし、その反面、季吟は全知全霊を尽くして一つの分野を追求するというタイプではない。季吟が俳諧という風狂の道を究めようとした足跡は見出せない。

やはり、芭蕉の候補者は北村季吟以外の人物ということになる。そうすると季吟に注目したのは徒労だったのだろうか。いや、そうではない。この北村季吟のすぐそばに真の候補者は潜んでいた。季吟の子息、北村湖春（こしゅん）が、それである。

北村湖春（一六五〇～一六九七）こそが芭蕉の実体である。芭蕉問題、つまり芭蕉の出自と実体を解明するという問題はようやく解決された。湖春の生没年は芭蕉（一六四四～一六九四）の生没年よりやや、後ろにずれている。しかし、さほど大きなずれではない。両者には年代的にも親和性が認められる。

北村季吟、湖春親子の関係については興味深い事実を指摘できる。こと俳句を詠む能力については季吟よりも湖春の方が上であった。このことは識者が等しく認めている。このことを勘案すれば湖春が芭蕉であった可能性はさらに高まる。

北村湖春が芭蕉であったことを示唆する有力な証拠を提示できる。一般に知られているように一六七四年、北村季吟から芭蕉に俳諧作法書、「俳諧埋木（うもれぎ）」が伝授された。これは考えようによっては奇妙な現象と言わねばならない。

この時点では芭蕉は季吟門下生の中で有望株ではあるものの大勢の門人の一人にすぎない。その芭蕉になぜ、このような格別の配慮がなされたのか理由が説明できない。しかし、この芭蕉なる人物が季吟の実子、湖春であったとなると話は別である。格別の配慮がなされた理由はすんなり理解できる。

「俳諧埋木」の原本は現在まで伝わる。しかし、この手の文書には偽物が多いので簡単に信じることはできない。けれども、もしこれが本物の原本であるならば北村湖春が芭蕉であることを証する有力な証拠となろう。

芭蕉の正体が北村湖春であるという結論には、かなり自信が持てる。芭蕉の出自と実体という問題は、すでに解決したと言ってよいであろう。しかし、ここで新たな疑問が生じる。なぜ、芭蕉の正体は北村湖春であるという事実が人々の記憶から消されたのか。

芭蕉の正体は意識的に人々の記憶から消されたのか、それとも自然に消えてしまったのか。それも判断が難しい。一六八九年、北村季吟が幕府の歌学方に任命された時点で北村家の本業は和歌に定まる。俳句は副業あるいは余技ということになる。そのあたりから湖春が俳諧師、芭蕉の名で活動していたという事実は裏に退き始める。

しかし、幕府は季吟、湖春親子が俳諧の面でも活動していることは承知の上で歌学方に任命した。湖春が俳諧に携わったところで幕府に咎められることはあるまい。湖春は幕命によってではなく自らの判断で俳諧師、芭蕉として活動していた過去を封印した。いわゆる自主規制である。

湖春は俳諧師としての過去を封印することにより歌学方として家業に専念する決意であることを幕府に示した。その甲斐があって幕府歌学方の地位は北村家に世襲されることになる。そして月日の経過とともに湖春が芭蕉であったという事実は人々の記憶から消えた。

湖春の実父、季吟は古典学者としても優れ、源氏物語、枕草子、徒然草という三大古典の注釈書を遺した。このうち源氏物語湖月抄と枕草子春曙抄については季吟自身が主要部分を執筆した。他の部分は門人たちが分担執筆し全体を季吟の名で刊行した。

徒然草文段抄については年代的に季吟の作ではあり得ない。枕草子と徒然草の真の成立年代については「第3章」と「第4章」で明らかにした。

3．江戸時代における出版統制：享保七年の町触

北村湖春が芭蕉の本体である可能性は高い。しかし、従来の芭蕉像が大幅に揺らいだことは否定できない。また、芭蕉が詠んだとされる幾多の俳句についても、そのうちどれがほんとうに芭蕉（北村湖春）の作か確定することは、ますます困難になった。

そもそも江戸時代の前半には近代的な意味での著作権という権利意識が乏しかった。著作物として刊行された刊本についても著作権による保護はほとんどなされなかった。刊本についてもそうであるから、まして一つ一つの和歌や俳句についてはなおさらである。

曲がりなりにも著作権保護という意識が芽生えたのは一七二二年以降である。この年、いわゆる享保の改革の一環として江戸町触（まちぶれ）の形で出版統制令が発布された。これは従来から断続的に発布されていた出版統制令を集大成したもので、そ

の主たる狙いは社会秩序の維持と風紀引き締めにあった。

江戸時代を通じて幕府は断続的に出版統制を行った。統制が強化された時期と緩和された時期はあった。しかし、統制の強さは時期ごとに極端な差は見られない。享保年間に代表的な出版統制令が発布されたからといって、この時期だけ統制が強化されたのではない。

一七二二年（享保七年）の出版統制令は、①好色本の禁止、②徳川将軍家に言及することの禁止、③奥書に著者、版元の実名を明記することの義務づけなど全五条から成る。それまでは為政者の気まぐれに振り回されていた。しかし、この町触が出たことにより著者や版元はどのように行動すれば処罰され、どのように行動すれば処罰されないのか知ることができるようになった。

それ以前は各奉行所などが直接、出版の取り締まりにあたっていた。しかし、幕府は版元に出版仲間を組織させ、その同業組合による間接的な取り締まりに方向転換する。以後は出版物を刊行しようとする者は仲間組織に届け出て、その責任者（仲間行司）の許可を求めることになった。

一方、この統制令にはもう一つ別の面があった。版元と著作者の権利保護である。吉宗統治下に発布された統制令には巻末の奥書に版元と著者の実名を明記するよう定められた。これは一次的には出版を統制するための定めであるが、同時に版元と著者の権利を保護するという目的もあった。これで日本においても以後は不十分ながら著作権という権利意識が定着する。

しかし、著作者に印税が支払われ、著作者がその印税収入により生計を立てることができるようになったのは、さらに後のことである。最初に印税収入のみで生計を立てたのは曲亭馬琴（一七六七〜一八四八）であったとされる。

一七二二年以降、大部分の刊行物の末尾に刊行年が記されることになる。しかし、逆に言えば、それ以前は巻末に刊行年が記されることは稀であった。ときおり一七二二年以前の刊行年を記した書物を見かけるが、その刊行年は信頼性が低い。ほんとうは一七二二年以後に刊行されたにもかかわらず刊行年を実際より過去にさかのぼらせて出版統制をすり抜けようとしたものと考えられる。

4．奥の細道の作者：幸田露伴

最後に、あの紀行文の稀代の名作、奥の細道の作者は誰かという問題が残る。これも芭蕉、つまり北村湖春の作かというと、そうではない。これまでも奥の細道の作者は芭蕉とは別人であるという説は唱えられていた。

推理作家の藤本泉（せん）は、奥の細道の作者は門人の各務支考（かがみしこう）の代作であるという説を唱えた。この門人の代作であるという説は着想としては正しい。しかし、そもそも、この各務支考（一六六五～一七三一）という人物に奥の細道のような名文を書く能力があったと思えない。

また、この説は一七〇二年という刊行年をそのまま受け入れて同時代人に代作者を求めたために真実が見えなくなっている。最初に刊行された奥の細道の巻末には「元禄十五年（一七〇二年）」という刊記が記されているのであるが、これは真実ではない。実際に刊行されたのは、これよりずっと後である。

奥の細道の真の作者が誰であるのか探求するにあたって、一七〇二年という従来そのまま信じられていた刊行年にこだわっていては真の作者は探り当てられない。実際に書かれたのは一七〇二年より後であることは奥の細道の本文を通読すれば容易に見抜ける。

そのようにして芭蕉より後の時代に、その作者を求めたときに最初に私が注目したのは与謝蕪村（一七一六〜一七八三）である。蕪村なら奥の細道のような名文の紀行文を書いても不思議ではない。

それに蕪村には奥の細道絵巻という作品が存する。蕪村は、まず奥の細道を書き上げておいてから、その本文を織り込んだ絵巻物を描き始めた。蕪村の筆による奥の細道絵巻はどちらも二巻本で一七七八年と一七七九年に続けて二組完成した。

このように推理したものの、もう一つすっきりしない。奥の細道は一七〇二年を皮切りに数次にわたり刊行されたことになっているのに江戸時代にはほとんど注目されていない。これは不思議なことと言わねばならない。

奥の細道が注目されるようになったのは明治時代に入ってからのことである。とりわけ一八九三年、芭蕉没後二〇〇年祭を迎える頃に急激に注目されるようになった。この不思議な現象をどう解釈すればよいのか熟考した結果、私は奥の細道は明治時代に書かれたという結論に達した。奥の細道絵巻も明治以降に描かれた。

奥の細道の作者は明治時代の文豪、幸田露伴（一八六七〜一九四六）であったと私は推理する。物的な証拠を提示できるわけではないが、この推理が正しい作者を示している確率は高い。

露伴は一八六七年、江戸下谷に生まれた。彼が生まれた時には現在、東京と呼ばれている都市はまだ江戸と呼ばれていた。この一八六七年、つまり慶応三年という年は露伴の他に夏目漱石や正岡子規が生まれた年でもあり日本近代文学を背負って立つ人物が連続して出生した奇跡的な年である。

この逸材たちの中でも露伴の早熟ぶりは目立つ。一八八九年の『露団々』と『風流仏』に続いて一八九二年に『五重塔』を発表した露伴は二〇代半ばにして一流作家としての名声を確立する。露伴は早くも並の作家が一生かけても書き得ない質と量の小説を書き上げた。

これだけでも刮目すべき早熟ぶりである。しかし、露伴は、これに加え、これまで誰も気が付かなかった偉業を成し遂げていた。それが奥の細道の創作である。一八九三年、芭蕉二〇〇回忌を迎えるまでには露伴は芭蕉の名を借りて紀行文、奥の細道を書き上げていた。

それだけではない。奥の細道を書き上げた幸田露伴は刊行もしていた。奥の細道が刊行されたのは巻末に付された刊記によると一七〇二年ということになっている。しかし、実際に刊行されたのは一八九三年前後であったと推定される。

高橋梨一の名義で刊行された奥の細道の詳細かつ厳密な注釈書、「菅菰（すがごも）抄」もまた幸田露伴の作である可能性が高い。露伴は自分が書いた書物の注釈書を自分で執筆した。この注釈書の表向きの刊行年は一七七八年とされているのであるが実際に刊行されたのは、その一二〇年ほど後である。

江戸時代に刊行されたとされる書物の末尾に付記された、いわゆる刊記の刊行年には実際に刊行された年よりずっと古い年を記したものが多く見られるので、気安く鵜呑みにすることはできない。この注釈書の場合、刊行されたのは江戸時代ではなく明治時代である。

芭蕉の作とされていた奥の細道については藤本泉の指摘を待つまでもなく、別人が創作したフィクションという印象を強く受ける。結局、この奥の細道という作品は、その全体が幸田露伴による創作と考えてよい。

一八八七年、満二〇歳であった露伴は電信技士として就職していた北海道から職を辞して半ば徒歩で半ば鉄道で帰郷した。その時の東北地方縦断の旅は『突貫紀行』に描写されている。これは青年時代の露伴にとって忘れがたい体験として記憶に残った。奥の細道を執筆するときにも、その記憶は大いに役に立ったことであろう。

奥の細道は同行した曾良が書き残した旅日記とよく比較される。しかし、この曾良の旅日記なるものの素性も怪しい。この旅日記なるものは、露伴が奥の細道執筆の下書きとして書いたものである可能性が高い。露伴は、あらかじめ曾良名義の旅日記を書き記すことにより旅程の全体像を素描した。しかし、実際に奥の細道を書き始めると、その旅程は曾良名義の旅日記とはかなり違うものになった。

誤解のないように一言申し添える。もし、右のような一連の推論が正しかったとしても、奥の細道という書物の文学的価値には何ら変わりがない。

そもそも芭蕉などという人物は実在せず徳川光圀、北村湖春など複数の人物をモデルに合成された人物である。実在しない架空の人物が奥州まで足を延ばし旅をするなどということはあり得ない。幸田露伴は自らの奥州縦断旅行の体験をもとに、その架空の人物、芭蕉の名を借りて奥の細道という紀行文を創作した。

真実が私の推論通りだとしたら、そこで際立つのは露伴という人の創造性である。また幸田露伴という人には実務的なマネジメント能力もあった。彼は奥の細道は自分が書いたという秘密を守り抜いた。刊行にあたって共に行動した印刷業者にも秘密を守らせた。このあたりのマネジメント能力も称賛に値する。

奥の細道と曾良の旅日記の食い違いを分析して、どこからどこまでが事実で、どこからどこまでが芭蕉の創作か論じられることも多い。しかし、もはや、このような煩雑な事柄にこだわる必要はない。

奥の細道全体が幸田露伴による創作であることは、大体、認めてもらえたのではないだろうか。俳諧師としての芭蕉の正体は北村湖春であった。その一方、奥の細道の作者の正体は幸田露伴であった、というのが私の到達した結論である。

5. 好色一代男の作者：上田秋成

西鶴と芭蕉は完全な同時代人である。世に出る前の出自と経歴がほとんど不明である点についても西鶴と芭蕉は共通する。西鶴については紀伊の中津村出身であるとか、大阪の町人の出であるといった情報が残されている。しかし、これもまた単なる伝承にすぎない。生身の人間としての西鶴については正体不明と言わざるを得ない。

先に「2」と「4」で芭蕉について俳諧師としての芭蕉と、紀行文、奥の細道の作者としての芭蕉を切り離して考察し、その双方について実態を解明した。同様に西鶴の場合も俳諧師としての西鶴と浮世草紙の作者としての西鶴は別人物と考える。一方、西鶴の場合は俳諧師としては芸術的価値のある作品を遺さなかった。俳諧師としての西鶴の正体を突き止めることには、あまり意味がない。

けれども、一応、ここで俳諧師、西鶴の主な経歴を述べておく。延宝年間、西暦で言うと一六七三年から一六八一年までの九年間、西鶴は大坂の生玉（いくたま）を拠点に矢数（やかず）俳諧の興行師として活動した。矢数俳諧とは一日二四時間にどれだけの数の俳句を詠めるか競うイベントで、時には数千人の観客を集める。

俳諧興行師としての西鶴のラストを飾るのが一六八〇年に生玉で行われた矢数俳諧で、西鶴は一昼夜で四千もの句を独詠する。その成果は翌年、『西鶴大矢数』の名で刊行される。しかし、『西鶴大矢数』と題する書物が本当に一六八一年に刊行されたのか疑わしい。それより、かなり後に刊行された可能性が高い。

俳諧師としての西鶴の実像については以上のような事柄が伝えられている。しかし、それが事実であるか否かについては、もはや確かめようがない。『西鶴大矢数』にしても、いつ、誰が書いたのか定かではない。むしろ、ここで問題にすべきなのは誰が俳諧師、西鶴の名を借りて一連の浮世草子を執筆、刊行したのかである。

従来は、俳諧師としての活動に終止符を打った西鶴が、その後、間もなく浮世草子作家へと転身したと考えられていた。しかし、それは全くの誤解である。俳諧師、西鶴は単に名を借用されたにすぎない。俳諧師、西鶴と浮世草子作者、西鶴は別人物と私は推理する。

浮世草子作家としての西鶴のデビュー作にして最高傑作、好色一代男が刊行されたのは一六八二年とされている。しかし、この刊行年は周囲の目を欺くための偽りの年代である。実際には、好色一代男は巻末に印刷された刊行年の八〇年も後、一七六〇年代に書かれた。著者は上田秋成（一七三四～一八〇九）である。

上田秋成といえば誰もが怪談集、雨月物語を連想する。しかし、彼は三〇代前半に二冊の浮世草子を刊行していた。二冊は所定の手続きを経て正式のルートで世に出る。一方、秋成が同時期に執筆した好色一代男は裏ルートで小数部のみ流通した。

一七六六年に刊行された諸道聴耳世間狙（しょどうききみみせけんざる）は特異な性格を持つ人物のゴシップを戯画化して描く。一七六七年に刊行された世間妾形気（てかけかたぎ）は愛人として生きる女性の生態を軽快な文体で描く。この二作はまさしく西鶴の世界に属する。この二作の存在を考慮に入れるならば、一連の西鶴本の作者が上田秋成であっても少しも不思議ではない。

秋成は好色一代男完成後も西鶴名義の浮世草子の執筆を続ける。その後、二〇冊から三〇冊に及ぶ一連の浮世草子群が出来上がり井原西鶴の名で刊行された。ところが、ここで一つの問題が発生する。作品の質に極端な差があるのだ。

いかに高い資質を持つ一流作家でも好調時に執筆した傑作と不調時に執筆した凡作

とでは差が出る。しかし、西鶴名義の作品群の間に見られる質の差は同一作家の好不調から説明できる範囲を超えているようにも思える。

西鶴の浮世草子の中で掛け値なしの傑作と言えるのは何と言っても好色一代男で、好色一代女や世間胸算用などの数点がそれに続く。残りには凡作も少なくない。

西鶴研究家の森銑三（一八九五～一九八五）は、西鶴名義の一連の浮世草子における質の差に注目した。この人は好色一代男だけが西鶴の筆によるもので、それ以外は大体において凡作で、それらは北条団水を筆頭とする弟子たちが西鶴の名を借りて執筆したと主張した。

私も一時期、この説に共鳴し、同様の推理を組み立てた。西鶴本、つまり西鶴の作である可能性のある本のうち中枢部分のみを上田秋成が執筆し、それ以外の部分は周囲の人物が執筆したと考えた。しかし、現在では、この説は支持していない。

西鶴本の大部分は西鶴、つまり上田秋成が単独で執筆した。多数の作品の間には出来、不出来の差が大きいが、それは濫作の弊害が現れたものと解する。ただし、極端に粗雑な内容の本は二流の作家が秋成を模倣して西鶴の名で執筆した。

西鶴の浮世草子は好色物、町人物、武家物、雑話物に四分される。このうち町人物の代表作、世間胸算用と日本永代蔵を比べると文章の質、ストーリー展開ともに世間胸算用のほうが優れている。この点をとらえて森銑三は世間胸算用には西鶴の筆が多く加わっているが日本永代蔵は弟子の北条団水の作とした。

しかし、そのどちらも上田秋成の作である。世間胸算用と日本永代蔵は短編集であるから、その短編集を構成する各短編に出来栄えの差があるにすぎない。日本永代蔵には平凡な出来の短編が多く見られるが、これも濫作の弊害が出たものである。

秋成は油紙を扱う商家の養子となり養父の死後は一〇年ほど商店主を勤めた。つまり彼は商人である。町人物の代表作二作は本物の商人でなければ書けない。一方、若き日の秋成は遊郭に出入りして放蕩生活を送っていた。晩年の枯れたイメージからは想像もできないが、紛れもない事実である。好色物と町人物の双方を書く素養のある書き手は数少ない。秋成はその貴重な書き手の一人である。

西鶴名義の浮世草子、とりわけ好色物と呼ばれる一連の作品は小数部だけ刷って愛好家に直接頒布する地下出版に近い形で印刷された。そのため、あまり世に知られることなく時が過ぎ、やがて明治維新を迎える。維新後も西鶴名義の浮世草子は埋もれたままであった。

しかし、明治一三年、一八八〇年頃に転機を迎える。文化人、淡島観月（一八五九～一九二六）が西鶴の浮世草子を再発見したのである。淡島観月の随筆集『梵雲庵雑話』に収録された「西鶴雑話」によると観月は西鶴の浮世草子を古本屋で見つけ、どんどんのめり込んで行き、その魅力を幸田露伴や尾崎紅葉に伝えた。

この出来事は文学史上、淡島観月による西鶴の再発見と呼ばれる。この再発見により西鶴の浮世草子が世の注目を浴び、現在に至る。寒月が最初に手にした西鶴本は西鶴置土産であった。これは遊蕩がたたって没落した大尽（だいじん）たちを描く。

この本は枯れた味わいのある秀作で、西鶴の遺稿を北条団水が整理して刊行したという体裁を採る。しかし、北条団水の名で最終稿をまとめたのも上田秋成である。上田秋成が西鶴、団水という二人の人物を演じた。結局、浮世草子作者としての西鶴の正体は上田秋成ということになる。

第12章　写楽問題を解決する

1．写楽別人説：本命は写楽北斎説

これまでは主に古典文学において著名な作品がどのようにして書かれたか、その謎を解き明かしてきた。ここでは第7章に続き美術の分野における作品成立の謎に挑み、浮世絵版画作者、東洲斎写楽の正体を明らかにする。

これからとり上げる写楽問題は天下国家とは何のかかわりもない個人的な趣味の問題にすぎない。この点、邪馬台国問題が日本国家の起源に密接に関連するのと好対照を成す。けれども、専門家と一般人とを問わず、この写楽問題に寄せる関心は旺盛である。

いわゆる歴史の謎解きの分野において最も出版が盛んなのは、なんと言っても邪馬台国をめぐる分野で、書店には「ついに邪馬台国の所在地がわかった」などという表題の書物が次々に並べられる。それに続くのが、この写楽の分野で、「ついに写楽の正体が判明した」などという触れ込みの本が年に何冊も刊行されている。

一般に邪馬台国の所在地、そして写楽の正体という二つの問題が日本史上の二つの謎である。このうち邪馬台国の所在地については先に刊行した『世界の真実』で完全に解決した。それに続き、この本で写楽の正体という問題が解決されるならば同じ著者によって日本史上の二大難問が連続して解決されたことになる。

邪馬台国問題が本格的に論じられ始めたのは、いまから一〇〇年ほど前の一九一〇年のことである。この年、ほぼ同時に、京都帝国大学の内藤湖南が邪馬台国大和説を、東京帝国大学の白鳥庫吉が邪馬台国九州説を雑誌に発表し、その後、二つの陣営の論争が活発化した。

ところが、奇しくも同じ一九一〇年、海のはるか向こうのドイツで一冊の本が出版された。ユリウス・クルト著『SHARAKU』がそれである。この本が出版されたことにより、それまでほとんど名前も知られていなかったマイナーな存在である写楽は内外で俄然、注目を集める。

このように作品の評価が急上昇すると、やはり作者である写楽当人にも関心が集まる。しかし、生身の人間としての写楽については、ほとんど何の情報も残されていない。

その後、いつの間にか写楽には「謎の絵師」という称号が冠せられるようになる。一方、写楽自身が謎めいた存在とされたことは、その人気に拍車をかける結果になる。人は謎めいた存在に興味を引かれる。

そもそも写楽が「謎の絵師」とされたのは、その素性が不明であることもさることながら、その表舞台への登場と退場があまりに忽然としていたことが大きい。

写楽は寛政六年（一七九四年）、浮世絵業界に何の前触れもなく突然、出現し、翌寛政七年（一七九五年）までの一〇ヶ月ほどの間に一四〇種ほどの作品を公表し、ふたたび突然、消え去る。

本来ならあれほどの傑作を書き残した人物なら実生活の場にも痕跡を残すのが普通なのに、作品以外に何らの痕跡も残さず消えてしまったのは不自然である。そこで写楽とは他の絵師が用いた別名であったとする写楽別人説が登場する。

寛政年間に活動していた絵師たちの中で真の写楽にふさわしいのは誰か、探って行くと、その候補者として、たくさんの絵師の名が次々に挙がって来た。その中で本命中の本命と言えるのが葛飾北斎（一七六〇～一八四九）である。

写楽の遺した最高傑作群を描き得る技量を持つ絵師といえば、おのずから、その候補者は絞られる。しかし、北斎なら画家としての才能において不足はない。さらに北斎には他にも写楽の候補者と推定させるための有力な要素があった。

北斎には絵師としてのキャリアを積むにあたって次々に画号を替えるという性癖があった。彼は寛政五年（一七九三年）頃まで勝川春朗の名で創作し、一年の空白を置いた後、二年後の寛政七年（一七九五年）、宗理（そうり）の名で活動を再開するという経緯があった。そうすると、北斎が活動を休止していた寛政六年という年代が写楽が突然、出現した時期にぴったり一致する。

このように北斎は画家としての才能、生身の人間としてのキャリアという二つの点において写楽の真の候補者にふさわしいことが確認できる。まさしく北斎は写楽別人説の王者とも言うべき存在である。

しかし、それなら写楽の正体は北斎で決まりかというと、そうとも言えない。写楽と北斎とでは素人の目でもわかるほどの作風の違いが看取できる。この事実は重い。そこで、多くの人が、この人物こそが真の写楽だという意見を次々に発表することになる。

写楽の候補者としては、北斎のほかに、喜多川歌麿、歌川豊国、酒井抱一といった絵師の名が挙げられている。絵師以外の文化人としては、出版人の蔦屋重三郎、戯作者の山東京伝といった面々が有力な候補者とされる。こうなると当時の文化人のオンパレードの観を呈する。

2. 写楽当人説：能役者斎藤十郎兵衛説

これに対して「写楽は写楽だった」と主張する説が存する。この説は写楽という名が他の著名人の別名であることを否定する説であるから「写楽当人説」と呼ぶことができる。

それなら、その写楽当人とは誰なのかと言うと、斎藤十郎兵衛（じゅうろべえ）という能役者であったと、この説の支持者は説く。この写楽斎藤十郎兵衛説は写楽再発見の立役者、ユリウス・クルト以来、綿々と続いている。しかし、そもそも、この斎藤十郎兵衛なる人物の実在性があやふやなことが弱点とされていた。

ところが、近年になって、この人物の実在性が証明された。それにより、この説が日に日に有力となり、現在ではほとんど定説に近い。この写楽当人説あるいは写楽斎藤十郎兵衛説は浮世絵類考という江戸時代に書かれた古写本の記述に基づく。

まず、天明・寛政期を代表する文化人、太田南畝（なんぽ）が往時の主な浮世絵師の略伝を記した浮世絵考証という手稿を書き遺す。それが書写により流布して行く過程で山東京伝、式亭三馬といった人々が加筆し、その内容が増加する。

そして最後に一八四四年、斎藤月岑（げっしん）という考証家が、それらを土台に浮世絵類考という書物を完成する。ただし、書物を完成したといっても印刷されて刊行されたわけではなく、この段階になっても浮世絵類考という書物は写本のまま流通していた。

写楽に関する記述は太田南畝が書き遺したところによれば「歌舞伎役者の似顔絵を写せしが、あまりに真を画かんとて、あからさまに書きなせしかば、長く世に行われず一両年にて止む」という抽象的な記述に留まっていた。しかし、斎藤月岑が完成した浮世絵類考では「俗称斎藤十郎兵衛、住居江戸八丁堀、阿波藩お抱え能役者」という三つの具体的な情報が書き込まれていた。

この斎藤月岑（一八〇四〜一八七八）という人物は、代々、神田の名主を勤める家に生まれた人で、太田南畝に比べれば知名度は劣るものの、かなりの文化人である。彼は浮世絵類考のほか江戸名所図会や武江年表など江戸文化史上重要な著作を完成している。

そうすると、斎藤月岑のような文化人が写楽は斎藤十郎兵衛という能役者であったと明言しているのであるから、写楽の正体探しは、それで決まりということになろう。現に中野三敏（一九三五〜二〇一九）、内田千鶴子の両氏に代表される、この説の支持者たちは写楽の本名が斎藤十郎兵衛であることが判明した以上、写楽問題はすでに解決済みであると見なす。

さらに近年になって斎藤十郎兵衛という人物の素性がだんだん明らかになるにつれ、この写楽斎藤十郎兵衛説は勢いを増しつつある。まず一九八四年、内田千鶴子氏により猿楽分限帳に斎藤十郎兵衛の名が発見される。続いて一九九七年、民間の愛好団体により斎藤十郎兵衛の菩提寺と過去帳が突きとめられる。

十郎兵衛の菩提寺は築地の法光寺で、その過去帳によると彼の没年は文政三年（一八二〇）で、享年五八歳とのことである。当時の年齢は数えであるから没年から逆算すると、その生年は一七六三年ということになる。

かつては、この写楽斎藤十郎兵衛説に対しては、そもそも斎藤十郎兵衛などという人物が実在したかどうかも定かではないのに、なぜ写楽は斎藤十郎兵衛という能役者だったなどと言えるのか、という批判が寄せられていた。しかし、現時点においては、少なくとも、この人物の実在性は明らかになった。

かくして写楽斎藤十郎兵衛説あるいは写楽当人説は、新事実の裏付けにより、その権威を増し、現在では定説に近い地位を確保している。これを受けて写楽の正体は能役者、斎藤十郎兵衛にほぼ確定したという論調のマスコミ報道が現れた。二〇一一年五月一二日にＮＨＫ・ＢＳプレミアムにおいて「写楽・解かれゆく謎」のタイトルで放送された番組が、その典型である。

このような写楽の正体は斎藤十郎兵衛に確定したような印象を視聴者に与えるNHKの番組造りの基本姿勢には批判も強い。私も写楽問題がこれで解決したとは思わない。斎藤十郎兵衛が有力候補者として浮上していることは事実である。しかし、この説には決定的に弱い点が二つある。

第一に、この斎藤十郎兵衛という人物の印象が希薄なのである。もし、この人物が世界的傑作を描いていたのなら同時代に克明な足跡を残し、当時の著名な文化人たちも彼の名を称える記述を残していたはずである。ところが、この斎藤十郎兵衛という人物は、同時代に足跡を残さず消えてしまい、その後もほとんど記録に出てこない。これは何とも不思議なことである。

第二に、この説の根拠となる浮世絵類考の史料価値が、さらに決定的な弱点となる。この浮世絵類考は江戸浮世絵について調べる場合の基本的資料とされている。しかし、その成り立ちに根本的な疑義があり、後世の偽作と考えられる。

この書物は刊行されたものではなく書写により伝えられた。しかし、いつ、誰が書いたのかはっきりしない。要するに成立事情が不明で資料とするに足りない。江戸浮世絵の基本的資料とされている浮世絵類考は明治時代に創作された偽書である。
浮世絵類考の著者として太田南畝、山東京伝、式亭三馬といった当時の著名人が名を連ねていることには作為を感じる。このようなことは、むしろ浮世絵類考という書物の出自の怪しさを印象付ける。結局、浮世絵類考の正統性を土台にした写楽斎藤十郎兵衛説は砂上の楼閣であった。

3. 写楽の正体：フランス人ビゴー

結局、議論は振り出しに戻る。現在、写楽斎藤十郎兵衛説（写楽当人説）と写楽北斎説（写楽別人説）がともに譲らず膠着状態にあり、どちらの説を支持しようと議論は手詰まりに陥っている。

そこで私は、この手詰まり状態を打開するため思い切って視点を変えることにした。時間的には寛政年間にとらわれず、また空間的にも候補者を日本人に限定せず外国人にまで広げた。そうすると思わぬ候補者が視野に飛び込んできた。風刺画家のビゴーである。

ジョルジュ・フェルディナン・ビゴー（一八六〇〜一九二七）は一八八二年に来日し、一八九九年に帰国するまで一七年もの間、日本で過ごした。この間の風刺画家としての活躍ぶりは誰もが知るところである。おそらくビゴーは日本にいた頃に浮世絵の研究を開始した。そして帰国後、彼は研究を重ねた浮世絵を自ら創作したくなったのではないだろうか。

その際、ビゴーは寛政年間に活動した写楽という架空の絵師の名で浮世絵版画を創作した。初めのうち、それはほんの遊び心であったのかも知れない。しかし、作業を繰り返すうち、次第に本腰を入れて創作するようになった。そして最後には自分の名ではなく架空の日本人絵師の名で発表し作品を高額で売ろうという考えが芽生えたのであろう。

以上のように推理すれば全て合点が行く。これもまた、物的証拠があるわけではない。しかし、推理の道筋がしっかり通っていることは認めてもらえると思う。写楽の正体はフランス人ビゴーであったというのが、私が読者に提示する結論である。私が、どのようにして、この結論に達したのか説明しよう。

そもそも写楽の出現に関する情報には不審な点が多い。写楽は寛政六年（一七九四年）の五月に何の前触れもなく突然、出現し約一四〇点の作品を遺した後、翌寛政七年の一月、これも何の前触れもなく突然、消え去ったなどと言われている。

しかし、いくら卓越した技量の持ち主であっても、わずか九ヶ月のあいだに一四〇もの作品を創作することは難しい。もし仮に元絵を描き上げることが出来ても、それを版木に刷り込み印刷することは不可能に近い。

写楽の役者絵は作画の対象となった歌舞伎の興行時期に合わせて、寛政六年五月の第一期、同年七月および八月の第二期、同年一一月の第三期、寛政七年一月の第四期に区分される。

その場合、われわれが写楽という名から連想する傑作群は、なんと言っても第一期に描かれた黒雲母摺（くろきらずり）の大判大首絵二八枚である。けれども、それまで無名であった新人の作品が高級品である黒雲母摺で出版されるなどということも本来ならあり得ない。

こうしたことを考え合わせるならば、これまで流布していた写楽登場にまつわる情報は、その大部分が虚報であったと判断できる。写楽作品の制作年代に関する条件を外し純粋に作品の内容だけに注目するならば写楽の正体は明らかになる。

写楽の代表作である役者大首絵を鑑賞すると、誰もが人間の顔のデフォルメに強い印象を受ける。もちろん、そのデフォルメが写楽の魅力の根源となっている。しかし、私はさらに、そこに欧米白人がアジア人の風貌を描く時に見られる独特のデフォルメを感じ取る。しかも、私は、そのデフォルメにビゴーの風刺画と共通する要素を認め、その作者はビゴーであると判断した。

ビゴーは歌川豊国（一七六九〜一八二五）の役者を描いた錦絵を手に入れ、それを土台に自らの浮世絵版画を創作した。写楽が歌川豊国の役者絵を下絵にしていることは以前から指摘されていた。

写楽という名は江戸方角分という芸能家の人名録から拝借したのであろう。これは一八一七年頃に成立し書写により後世に伝えられたとされている。しかし、これも浮世絵類考と同様、成立事情に疑念が残り、やはり偽作と考えられる。

ともあれ、こうしてビゴーが写楽の名で創作した浮世絵版画は隣国、ドイツの美術研究家ユリウス・クルトの目に留まり大々的に宣伝されることになる。

フリードリヒ・ユリウス・クルト（一八七〇～一九四九）はベルリン大学で神学を学んだプロテスタントの牧師で、本業のかたわら考古学、東アジア古美術、天文学など広範な研究を行った。浮世絵研究の分野では写楽の他、喜多川歌麿や鈴木春信に関する研究書も刊行している。

4．写楽は二〇世紀に登場した

私はユリウス・クルトが写楽の浮世絵に親しむきっかけを作ったのは林忠正（一八五三～一九〇六）という日本人美術商であったと推理する。彼はフランスを中心にヨーロッパ中で日本の美術品を売り歩き、日本美術の普及に尽力した。ヨーロッパにおける浮世絵ブームは、この人が作ったと言ってもよい。彼が活動の拠点にしたのはフランスであったがドイツ人とも交流があった。

この林忠正がビゴーに浮世絵の作成を依頼したか、あるいはビゴーが、自分が作成した浮世絵版画を林忠正に売り込んだかのどちらかであろう。いずれにせよ林忠正は写楽名義の浮世絵の作者がビゴーであることを知りつつ販売したことになる。もし、そうだとすると倫理的な問題が発生する。しかし、彼の一連の行為が謎の絵師、写楽を生み出し美術界を大いに盛り上げたのだから結果的には、これでよかったとも評せる。

フランス人、ビゴーが江戸時代に書かれた日本語資料を読みこなすことは不可能であるから日本人の手助けを受けたことは間違いない。ビゴーを助けたのが日本人画商、林忠正で、しかも彼がビゴーの版画に写楽という名を付けて売り出したと私は推理する。

事態は劇的な展開をしていた。林忠正は一八七八年から一九〇五年まで二七年もの間、パリに滞在し日本美術の売買に従事した。その後、忠正は、一九〇二年、経営する商会を解散することに決めた。しかし、商会閉店に備えて商品を競売した時、その中に写楽の作品は一点も含まれていなかった。この二〇世紀初頭、一九〇二年の時点で写楽は存在しなかった。

一九〇五年、忠正は帰国の途に就く。その翌年、彼は母国、日本で病没する。以上の経緯から写楽出現の年代を絞り込むことができる。一九〇二年から一九〇五年までのいずれかの年に林忠正がビゴーから写楽名義の作品を買い取り、世に売り出した。写楽の浮世絵は一挙に市場に放出された。

ヨーロッパにおける日本浮世絵の受容は歌麿から始まり、北斎がそれに続いた。エドモン・ド・ゴンクール（一八二二～一八九六）は一八九一年に『歌麿』、一八九六年に『北斎』という二冊の本格的研究書を世に送った。彼は日本人画商、林忠正と長年、交流し日本美術の紹介に努めた。

ゴンクールは一九世紀終りのヨーロッパにおける日本美術あるいは日本趣味の流行現象、いわゆるジャポニズムが出現するのに最大級の貢献をした。しかし、その彼ですら一八九六年に世を去った時、写楽という名前も知らなかった。写楽が出現するのはゴンクールが世を去って一〇年近く経過してからのことである。

帰国後のビゴーは生計のため各種の風刺画を制作し、それなりの評価を受けていたのであるが、やはり物足りなくなったのであろう。若き日に日本で目にした浮世絵を思い出し、自分も同じようなものを造りたくなったに違いない。

制作に協力した日本人はやはり林忠正であろう。ビゴーは描き溜めておいた写楽名義の版画を忠正の求めに応じて一挙に放出した。ビゴーが制作した写楽の役者絵は、その後、フランスを中心にヨーロッパ中で大人気を博す。

一九一〇年にはユリウス・クルトの著作が出版されるに至る。この頃までには写楽の人気はドイツにまで及んでいた。「2」で述べたように写楽斎藤十郎兵衛説を最初に広めたのは、このユリウス・クルトの著作である。

しかし、彼はどこから、この情報を入手したのだろうか。ユリウス・クルトがどのくらい日本語の読解能力があったのか定かではないが、崩し字で書かれた浮世絵類考を読むことが出来たとは思えない。ヨーロッパに滞在する日本人画商のうちの誰かが助言の形で彼に写楽斎藤十郎兵衛説を伝えた。林忠正は既に帰国していたので助言したのは忠正以外の日本人画商であろう。

やがて写楽ブームはアメリカに渡り、そこから日本に逆輸入の形で流入する。写楽ブームは日本から始まったのではない。ヨーロッパやアメリカで写楽が注目されるようになった後、日本でも代表的浮世絵師として注目されるようになったというのが真相である。

一九九四年、写楽出現一〇〇年を記念してユリウス・クルトの著作が日本語に翻訳された（定村忠士・蒲生潤二郎訳　アダチ版画研究所刊『写楽』）。この翻訳書により出現当初、ヨーロッパ人が写楽をどのように受け止めたのか知ることができる。

以上で写楽の正体をめぐる私の推理を終える。もし私の推理が正しいとするとユリウス・クルトの著作刊行以来、百年以上に渡って続いた写楽の正体探しがようやく終了することになる。写楽出現の経緯を丹念にたどって行くと一九世紀には地球上のどこにも写楽の版画など存在しないことがわかる。

問題解決の突破口は寛政六年という年代に対するこだわりを捨てるという案外、簡単なところにあった。この写楽問題に限らず歴史上の難問に挑戦する場合は、思考を硬直させる先入観を捨て去ることが鍵となることが多い。

第13章　自然真営道の謎に迫る

1. 自然真営道の発見者：狩野亨吉（かのうこうきち）

第11章で私は江戸時代におけるいくつかの文学作品の真の作者は誰なのかを突き止めた。この章では、これまで安藤昌益の著作とされていた思想書、自然真営道の作者が誰なのかを明らかにする。

自然真営道という書物は不思議な経緯をたどって世に出た。一八九九年、当時、第一高等学校の校長を務めていた狩野亨吉（かのうこうきち）が古書店から自然真営道と銘打つ江戸時代中期に書かれた古文書を入手した。

それは安藤昌益（一七〇三〜一七六二）というそれまで名も知られていなかった人物によって書かれた手稿で全一〇〇巻九三冊に及ぶ大冊であった。

この文書の発見者である狩野亨吉（一八六五〜一九四二）は風変わりな人物として知られる。若くして第一高等学校長、京都帝国大学文科大学長を歴任しながら早々とアカデミズムの世界とは手を切り自宅に鑑定業の看板を掲げて風雅の生活に明け暮れた。さらには春画の収集でも名を成す。

狩野亨吉は、一応、教育者に分類されるが、その実態は「文人」としか形容しようがない。しかし、第一級の知識人であることは間違いない。

亨吉は何年もかけて文書の研究に打ち込んだ。その内容は驚くべきもので近代人も容易に考えつかないような社会批判が展開されていた。一九〇八年、彼は安藤昌益の思想を雑誌に匿名で紹介する。一九二八年には『岩波講座・世界思潮』に長年の研究成果を掲載する。このようにして安藤昌益と自然真営道の名は知られ始めた。

一方、この特異な古文書群は数奇な運命をたどる。一九二三年、それまでの所有者、狩野亨吉は東京帝国大学図書館に自然真営道全巻を売却する。ところが同年九月一日の関東大震災で所蔵されていた巻は図書館もろとも焼亡する。たまたま貸し出し中であった一二巻のみが焼失を免れる。

これは実に残念な出来事であった。しかし、幸いなことに現代人にとって最も興味深い部分が無事であった。自然真営道全一〇〇巻は①社会哲学（二五巻まで）、②自然哲学（二六巻から五七巻まで）、③医学論（五八巻から一〇〇巻まで）の三つの部分に分かれるのであるが、最もわれわれの興味を引く①の部分のうち一〇巻が焼失を免れた。したがって現在でも自然真営道の中枢部分は、その半分近くをオリジナル稿本で読むことができる。

事態はさらに複雑な展開を示す。一九二四年に統道真伝という表題を持つ五巻本の稿本が、一九三二年に同じ自然真営道という表題を持つ三巻本の刊本が相次いで発見された。稿本・統道真伝の執筆年は一七五二年、刊本・自然真営道の刊行年は一七五三年と推定されている。

このうち統道真伝については稿本・自然真営道のダイジェスト版と考えられていた。しかし、稿本・自然真営道の単なる要約のように見えるところもあるが、内容はむしろすっきりしており新しい知見を加えていることも多い。したがって、この稿本・統道真伝は構想を新たにしたオリジナルな本と解すべきである。

自然真営道という同じ表題を持つ刊本についても同様である。これも単なるダイジェスト本と解されていた。しかし、実際には新たな構想に基づき書き下ろされたオリジナルな本である。発見されたのは三巻のみであるが続巻が予告されていた。

この二種の本は稿本・自然真営道に比べると社会批判の論調が穏やかである。実際に刊行された刊本・自然真営道のみならず稿本・統道真伝もまた刊行する予定で、公権力の目に触れても咎めを受けないように配慮したのであろう。

それに対して稿本・自然真営道においては誰に遠慮することもなく大胆極まりない社会批判が展開される。批判の対象となったのは封建領主制とそれを支える封建道徳である。この稿本の筆者は既存の秩序に批判を加えるに留まらない。同時に自らが理想とする農本主義的自給社会論を展開する。

批判されたのは封建領主だけではなかったことは注目に値する。封建制を正当化する道徳的基盤を提供し、その報酬に自分たちの特権的地位を確保した儒教の指導者たちも農民の生産物をかすめ取る悪人として弾劾される。

儒教においては、その創始者の孔子は聖人として崇められる。ところが、この稿本・自然真営道の著者は儒教における聖人なるものは他人の生産物をかすめ取る盗人あるいは強盗にすぎず極悪人であると決めつける。

2. 自然真営道の著者：安藤昌益ではなく平田篤胤（あつたね）

二〇世紀の初頭に、この自然真営道の思想に接した人々は、このような本を書き上げた安藤昌益（一七〇三～一七六二）という人物はいかなる人物であるのか興味を引かれた。安藤昌益は現在の秋田県大館市に豪農の子として生まれた。青年時代に京都で医術を学び、八戸で壮年期を開業医として送った後、故郷に帰り、そこで没した。

昌益についてわかっているのは、この程度のことであり生涯の詳細については不明である。これは考えてみれば不思議なことと言わねばならない。自然真営道のような大思想書を書き遺した人ならば地域の名士としての足跡が遺っているはずなのに昌益については八戸藩の日誌に治療と投薬に従事したことが記録されているくらいで他は何も記録が遺っていない。

そこで私は、自然真営道は安藤昌益以外の別の人によって書かれたのではないかと考えた。最初に候補者として頭に浮かんだのは同時代の国学者、本居宣長（一七三〇～一八〇一）である。彼なら自然真営道のような大思想書を書き上げる力量を備えている。

自然真営道では「法」と書いて「こしらえ」と読ませる。これなどは国学者の発想である。また自然真営道の後半は医学書となっているので、その著者は医者に限定される。宣長の本業は医師であるから、彼はこの条件もクリアーする。私は一時期、自然真営道の著者は本居宣長で決まりだと思った。

ところが、ここで一つ困ったことが起きた。自然真営道や統道真伝に展開された漢文体の文章には東北地方の方言が濃厚に残っていた（講談社学術文庫版『自然真営道』三九七頁・野口武夫解説）。率直に言って漢文体の文章に表出する東北地方の方言とはいかなるものか私には想像できない。しかし、専門の研究者が自信を持って指摘しているのだから間違いないと思う。

そうすると自然真営道の作者が本居宣長であるという説は成り立たないことになる。宣長は関西の人である。宣長は現在の三重県松阪市に生まれた。青年時代に漢学と医学を学ぶために京都に丸五年以上もの間、遊学する。その後は故郷の松阪に帰り、そこで没する。

宣長は短期間の旅行をすることがあったが、それも関西一円に限られた。例外的に関西を離れたのは少年時代に一年間、江戸で商人としての修業をしたことがあるくらいである。したがって自然真営道の著者は東北地方の方言を用いる人という条件から宣長は外れる。それに皇国思想の元祖である宣長が左翼的平等主義を標榜する自然真営道の著者であるということにも違和感がある。

自然真営道の著者は別にいた。平田篤胤（一七七六～一八四三）である。篤胤は宣長のちょうど二世代後の国学者で、同じく医師でもある。篤胤は久保田藩（秋田藩）の藩士の子として現在の秋田市に生まれ、少年時代をその地で過ごした。したがって自然真営道の著者は東北地方出身であるという条件を満たす。

平田篤胤は幾多の困難を克服し多数の著作を書き遺した。満一八歳で郷里を出奔し江戸に出た篤胤は困窮の中でも勉学を続け、一八〇〇年、備中松山藩士、平田氏の養子となる。一八〇三年、本居宣長の著作に接した後は国学に没頭し、著作も始める。一八〇四年には自らの国学塾を設立し門人を募集し始める。この私塾は後に気吹舎（いぶきのや）と改称する。

三〇代の前半、篤胤は二年ほど自宅で医師を開業していた。したがって、その間、彼の自宅には国学塾と医師の二つの看板が並んでかけられていた。しかし、篤胤は本腰を入れて医業に取り組まなかったようで、医業からは家計の足しになるほどの収入は得られなかった。

この点では本居宣長は対照的であった。彼は医業に本腰を入れて取り組み日中は患者の診察にあたり夕方から門人に講義し、その後、自らの研究を行うという生活を続けた。宣長の医師としての評判は上々で収入もかなりあったようである。

江戸時代の知識人がどのようにして生計を維持したのかという問題は、それ自体、興味深い問題である。本居宣長の場合、実家の財産、医師として患者から受ける報酬、塾の主催者として門人から受ける受講料という三つの収入源があった。

平田篤胤の場合は、まず実家の財産は全くあてにならない。医師としての収入もわずかである。したがって彼の場合は塾の門人から徴収する受講料が主たる収入源になる。しかし、篤胤はれっきとした武家の出である。彼は一時期、武士としての俸禄を受けていた。

一八〇九年、養父が没し篤胤は備中松山藩士、平田家の家督を相続する。山鹿流軍学師範として五〇石の俸禄を受ける。五〇石は中流武士として生計を維持できる石高である。しかも、軍事学の研究が主たる任務で、あまり雑用を押し付けられない。篤胤のような学究肌の人物には好適なポストであった。

3. 平田国学と復古神道

一八一三年、平田篤胤は最初の主著、霊能真柱（たまのみはしら）を刊行する。これは篤胤の霊界観を述べたもので、彼は、現世で善行を重ねた者は大国主神（おおくにぬしのかみ）が主催する来世の無階級世界で幸福に暮らすことができると主張する。

当時の出版事情に関する記録が残っており興味深い。この本の刊行には当時の金で四〇両、現在の金額では五〇〇〇万円の費用がかかった（渡部由輝著・『平田篤胤』九五頁）。費用が高額になったのは当時の版本は職人が一文字一文字を板に彫り込む方式であったため膨大な手間を要したからである。

膨大な資金を投入したにもかかわらず、この本は出版当初はなかなか売れなかった。

しかし、一八一六年頃から売り上げが伸び始め、門人の数も急増する。門人となったのは主に南関東、現在の埼玉県と千葉県の豪農層である。富裕な農民が多数、入門することにより平田家の財政も好転した。

篤胤は一八二三年に備中松山藩を辞して今で言うフリーランスの知識人となる。結局、篤胤は一四年間、板倉家の家臣として俸禄を受けた。なぜ、この年に備中松山藩を辞したのか、その理由は次のように説明できる。

この時期になると門人の数が増加し、そこから得られる収入で生計を立てられるようになったことが大きい。軍学の研究という雑用の少ない職にはあったものの、やはり宮仕えには束縛が伴う。そこで、自らの研究を促進するには宮仕えとは手を切る方が得策と判断した。壮年期の篤胤は門人の指導の傍ら自らの研究に没頭し、その結果、膨大な著作が生み出される。

平田篤胤は儒教や仏教の要素を払拭し天之御中主神（あめのみなかぬしのかみ）を創造神とする復古神道を大成した。平田国学あるいは復古神道は日本を四海の中心とし天皇を万邦の君主と定める。

このように順調に思索と著作に取り組んだ篤胤であったが、六〇歳を超えたあたりから周囲に暗雲が立ち込め始める。その先鋭な思想体系が幕府の警戒心を引き起こした。篤胤は正面から幕政批判を行ったことなど一度もないが、やはり幕府側からすると裏で幕政批判を行っているのではないかと疑いたくなる。

一八三七年、幕府の猜疑を決定的にする出来事が発生した。かつて平田塾の塾頭を勤めた生田万（よろず）が米の買い占めに憤り越後国、柏崎で反乱を起こし敗死した。篤胤は直接、反乱に関与していたわけではないが、やはり奉行所の取り調べを受けた。さほど強く追及されることはなかったものの、以後、幕府の監視は強まる。

一八四一年初頭、篤胤は幕府から国元（秋田）への退去と出版差し止めを命じられる。篤胤は故郷の秋田で二年ほど過ごした後、一八四三年に病没する。享年六七歳で、当時としては充分、生き切った年齢であった。

篤胤の死後も平田塾は発展を続け、門人も増加する。これには婿養子である平田鉄胤（かねたね）の貢献が大きい。鉄胤は研究能力では篤胤に遠く及ばなかったが門人の指導や塾の経営に才能を発揮した。

やがて幕末を迎える頃には平田塾の門人は全国に広がり、それにつれ篤胤の思想と学問も全国に普及した。篤胤流復古神道受容の中心となったのは、まず第一に各地の豪農層であった。その一方、復古神道は武士の間にも広まる。やがて農民と武士の双方に浸透した平田国学あるいは復古神道が維新の原動力となる。

篤胤の死後、復古神道は国家主義的傾向を強める。この時期の復古神道は大国隆正（おおくにたかまさ）が主導した。大国隆正（一七九三～一八七一）は早くも満一二歳にして平田塾に入門し、多くの門下生の中でも傑出した英才として知られた。

平田国学の右傾化の背後には大国隆正の存在があった。彼はもともと津和野藩士であったが脱藩し全国各地で皇国思想を説いて回る。彼は大国主命を信奉する気持ちが高じて元の姓、野之口を大国に改めた。

大国隆正が唱道した皇国思想は田中智学（一八八七～一九三九）によって「八紘一宇」のスローガンの下にまとめられる。田中智学は日蓮主義者の宗教家で彼自身は戦争を嫌悪し侵略を鼓舞する意図はなかった。しかし、結果的に、この「八紘一宇」のスローガンは大東亜共栄圏を正当化するイデオロギーとして侵略戦争を推進する。

時は流れて時代は明治、大正、昭和と進む。平田国学あるいは復古神道は大日本帝国の侵略的体質の根底を形成した。そして一九四五年八月一五日、大日本帝国は破局を迎える。

4. 安藤昌益と平田篤胤：篤胤晩年の真意

太平洋戦争の終結とともに平田篤胤の思想の評価は急落した。「日本は万国の祖国であり日本の天皇は万国の君主である」と公言していたのだから戦争の結果に対して篤胤に責任があることは否定できない。

しかし、玉砕や特攻まで平田国学が招いたと批判するのは酷であろう。泉下の篤胤に代わり、その名誉のために一つだけ弁護しておこう。篤胤自身には狂信的な要素が見られない。彼は大らかな性格で柔軟な思想の持ち主であった。それは、これから検討することでも明らかになる。

一方、平田篤胤の地位が急落するのと入れ替わるかのように安藤昌益の思想の評価が急上昇する。一九五〇年、カナダの外交官、ハーバート・ノーマンが『忘れられた

思想家　安藤昌益』を刊行すると、それまでほとんど誰からも注目されることがなかった安藤昌益の思想が急激に人々の目を引くようになる。

ハーバート・ノーマン（一九〇九〜一九五七）は日本に駐在するカナダ人宣教師の子として長野県・軽井沢町に生まれた。大学を卒業した後はカナダ外務省に入省し一九四六年から駐日カナダ代表部主席を務めた。

一九五〇年の彼の著作刊行により安藤昌益は再発見された。一九世紀末に狩野亨吉により発見された安藤昌益はハーバート・ノーマンにより半世紀後に再び発見された。狩野の発見以来、五〇年間、安藤昌益と自然真営道はほとんど忘却されたままであった。狩野亨吉が一九〇八年と一九二八年の二度にわたり安藤昌益とその思想を紹介する論文を発表するもののインパクトは限定された。

ところが、一九五〇年のノーマンの再発見により安藤昌益と自然真営道は国内はもとより諸外国においても注目を浴びる。マルクス主義を信奉していたノーマンは自然真営道の封建社会批判をマルクス主義の萌芽と理解した。このような理解を示したのはノーマンだけではなかった。マルクス主義を信奉するか、あるいは、そのシンパである左翼系知識人たちは江戸時代中期の日本にマルクス主義の萌芽が見られたことに驚喜した。

実際、自然真営道においては、自らは耕作せず農民の生産物の上前を撥ねて暮らす封建領主とそれを支える儒教道徳を造り上げた聖人たちが完膚なきまで批判される。また、それと同時に夫婦を単位とする自給自足の共産主義的生産様式が理想社会と定められる。それはマルクス主義の世界観に近い。

けれども自然真営道や統道真伝をマルクス主義の図式に当てはめて解釈すると、その魅力は半減する。安藤昌益の名義で執筆されたこれらの著作は単なる左翼的平等主義や共産主義的生産様式を唱道するために書かれたのではない。

そもそも安藤昌益の名義で書かれたこれらの書物を書いたのは誰なのかを考えれば私の言いたいことが理解してもらえると思う。これらの真の著者は晩年の平田篤胤である。われわれは途方もない誤解をしていた。自然真営道の著者は安藤昌益ではなく平田篤胤である。

篤胤は、おそらく三世代ほど昔の八戸に実在した安藤昌益という医師の名を借りて自然真営道と統道真伝という書物を執筆した。安藤昌益という人物がいかなる人物であったかという問題について色々探索が行われている。しかし、それはもはや重要な問題ではない。この人物は単に名を借りられたにすぎない。

私は、右翼的思想の始祖と目される平田篤胤が左翼的平等社会を唱道する自然真営道の著者であると推理した。この結論には読者としては容易には賛同できないであろう。しかし、篤胤は単純に右翼的思想の持主とは言い切れない。とくに一八三〇年代に入ってからは思想的に転回を遂げ左傾化していた可能性が高い。

晩年の篤胤は封建制に対する批判を先鋭化させ、その思想を自然真営道の手稿に書き綴った。この頃になると篤胤は封建領主制批判や幕政批判を越えて天皇制にすら否定的見解を抱いていた可能性もある。

平田篤胤は最終的には右翼思想と左翼思想の対立などという卑近な問題をはるかに超えた地平に達していたのかも知れない。

あとがき

私が古典の成立過程に興味を抱き始めたのは二〇〇八年頃である。その年、源氏物語誕生千年紀にちなんで新聞や雑誌が源氏物語にまつわる記事を盛んに掲載していた。私もおのずと興味を引かれるようになり源氏物語関連の文献を読み始めた。その結果、いつ、誰が源氏物語を創作したのか突き止めることができた。

私は、源氏物語の作者探しを通じて古典の成立過程を分析するための一般的なノウハウを蓄積した。さらに、そのノウハウを応用して多数の日本古典の真の作者を突き止める方向に進んだ。一方、西に目を転じシェイクスピア問題の解決に挑戦した。そうすると紫式部に続いてシェイクスピアの実像に迫ることが出来た。

古典における真実の成立過程を探求して行くと、そこではある時代の書き手が、それよりはるか昔の人になりきり創作するという手法が多用されていた。それは洋の東西を問わない。

日本では下河辺長流、戸田茂睡、新井白石といった書き手が平安時代あるいは鎌倉時代の人になりきり書物を書き遺していた。ヨーロッパではマキャベリがダンテあるいはボッカチオという同じフィレンツェ文化人になりすまして創作していた。

探索の結果、源氏物語、伊勢物語、枕草子、方丈記、徒然草、大鏡といった日本古典が、いつ誰によって書かれたのか明らかになった。ヨーロッパにおいても神曲、デカメロン、カサノバ回想録といった古典的書物が成立した真相を解明した。

美術品の成立事情に探索の対象を拡大すると今までボッティチェリの作とされていた二大傑作がゴヤの作であることが判明した。日本美術では写楽の作品の成立にフランス人が絡んでいたことを探知することができた。

これは筆者にとって二番目に刊行する本である。本書、『古典の真実』では古典がどのようにして成立したのかを探求した。そうすると最初に刊行した『世界の真実』で提示した「歴史の断層線」という概念が極めて有効であることが再確認された。

デビュー作、『世界の真実』において私は歴史的世界を舞台に大胆な思考実験を展開した。そこでは、ヨーロッパにおいては一五〇〇年付近を、東アジアにおいては一六〇〇年付近を「歴史の断層線」が走っており、それ以前は単なる伝説の世界であることを示した。二冊の本は、どちらも真実の探求を主眼とする。

政治史の世界では「歴史の断層線」の向こうは伝説の世界である。それに対応するかのように古典の世界では断層線以前に創作されたとされる古典的作品は大体において、断層線のこちら側で創作されていた。とりわけ日本では単純明快で平安時代や鎌倉時代の作品とされていた古典は全て江戸時代に出現していた。

ヨーロッパでは事情はやや複雑で、断層線以前のギリシア・ローマの古典は、断層線のわずか向こうの一五世紀に集中的に生み出されていた。エラスムス、マキャベリという断層線を跨ぐようにして生きた文人の生涯の秘密も解明できた。

さらに、レオナルド・ダ・ヴィンチの実像を追ううちにガリレオ・ガリレイという人物にたどり着いた。レオナルド・ダ・ヴィンチというのはガリレオ・ガリレイの仮象にすぎない。ガリレオの生涯は幸運と栄光に彩られたものであったが、晩年にはカトリック保守派による異端審問を受け苦難に直面した。

ガリレオが被った苦難は私にとっても他人事ではない。私は前著で歴史学の根本的刷新を訴え、この本では古典学の根本的刷新を訴えた。それは五〇〇年前にガリレオが宇宙観において天動説から地動説への転換を訴えたことを想起させる。

歴史学と古典学の両分野において学会主流がどのような反応を示すか、いまのところは未知数である。おそらく、最初のうちは黙殺するものの、そのうち沈黙を続けることができなくなり何らかの反応をせざるを得なくなる。そして、最終的には私の説を受容するという展開になると予想される。

いずれにせよ、私がガリレオのように異端審問にかけられる可能性はない。つくづく良い世の中になったと思う。言論の自由と思想の自由は真理を探究する者にとっての命綱である。

悪がはびこり狂気が渦巻くこの世界にも一筋の光明が見えてきた。それは人類を全盛期に導く光の道である。現在、人類はなんとかして全盛期へと行き着こうとして苦しみもがいている。人類を全盛期へと導くのが私の使命である。

装丁・大谷昌稔

■著者プロフィール■

バルテール・テンソン・マーリン（*Balteer Tenson Maalin*）

1958年生まれ。東京大学法学部卒業。

2022年、名園天孫（なぞのてんそん）の筆名で「みなみ出版」から『世界の真実』を刊行し、出版界にデビューする。

生涯、一度も賃労働をせず実家の財産を消費しつつ研究に没頭するという点において、チャールズ・ダーウィンを手本にする。しかし、実家がダーウィン家ほど裕福でもないのにダーウィンを気取ることには批判も見られる。

2030年までには世界のオピニオンリーダーの地位を確立すると当人は豪語する。しかし、周囲からは実現を危ぶむ声も聞かれる。

バルテール・テンソン マーリン（*Balteer Tenson Maalin*）の名は、ローマ式に個人名、氏族名、家族名の順に並べたもの。日本国における戸籍名（パスポート名）は非公開。

バルテールはヴォルテールをもじったもの。これは著者がヴォルテールの後継者を自任することによる。テンソン・マーリンは天孫降臨に由来する。これは同時にアーサー王伝説に登場する魔術師、マーリンを連想させる。

古典《こてん》の真実《しんじつ》
源氏物語《げんじものがたり》は江戸時代《えどじだい》に書《か》かれた

発行日　2023年　8月15日　第1版第1刷

著　者　バルテール・マーリン

発行者　斉藤　和邦
発行所　株式会社　秀和システム
〒135-0016
東京都江東区東陽2-4-2　新宮ビル2F
Tel 03-6264-3105（販売）Fax 03-6264-3094
印刷所　日経印刷株式会社　Printed in Japan

ISBN978-4-7980-7047-6 C0020

定価はカバーに表示してあります。

乱丁本・落丁本はお取りかえいたします。

本書に関するご質問については、ご質問の内容と住所、氏名、電話番号を明記のうえ、当社編集部宛FAXまたは書面にてお送りください。お電話によるご質問は受け付けておりませんのであらかじめご了承ください。